Si el producto ya no es el rey, ¿quién?

LOS CANALES DE

Un libro de *Strategy & Business,*
Booz-Allen & Hamilton

DISTRIBUCIÓN

CÓMO LAS COMPAÑÍAS LÍDERES CREAN NUEVAS ESTRATEGIAS PARA SERVIR A LOS CLIENTES

Steven Wheeler • Evan Hirsh

Traducción
Margarita Cárdenas

GRUPO
EDITORIAL
norma

Barcelona, Bogotá, Buenos Aires, Caracas, Guatemala,
Lima, México, Miami, Panamá, Quito, San José,
San Juan, Santiago de Chile, Santo Domingo

Edición original en inglés:
CHANNEL CHAMPIONS
How Leading Companies Build New Strategies to Serve Customers
de Steven Wheeler y Evan Hirsh.
Publicada por Jossey-Bass Publishers
350 Sansome Street, San Francisco, California 94104
Reservados todos los derechos.
Copyright © 1999 por Booz-Allen & Hamilton Inc.

Dirección editorial, María del Mar Ravassa G.
Edición, Fabián Bonnett Vélez
Diseño de cubierta, Beth Loudenberg
Diagramación, Andrea Rincón G.

Este libro se compuso en caracteres Legacy Sans

ISBN 958-04-5752-2

Para mis fuentes de inspiración:
Warren, Marilyn, Marisa, Evan y Melanie

— Steven Wheeler

Para mis padres, Esta y Jack, por su gran amor y apoyo

— Evan Hirsh

Agradecemos a Stuart Crainer su ayuda al darle forma
al manuscrito y a nuestras ideas, y por su ayuda
editorial experta

Contenido

Prólogo   ix
Prefacio   xix

Primera parte: (Re)planteamiento de los canales   1

  1 La ventaja del canal   3

  2 La gestión de canales   21

Segunda parte: El proceso de gestión de canales   53

  3 Primer paso: Entender las necesidades de los clientes   57

  4 Segundo paso: Formular nuevos conceptos de canales   101

  5 Tercer Paso: Hacer pruebas piloto   125

  6 Cuarto paso: Extensión rápida   137

  7 Quinto paso: Estudiar los resultados y adaptar el canal   143

Tercera parte: Retos de los canales   157

  8 Administración de los conflictos entre canales   159

  9 Maximización de las economías de canales   185

  10 La ventaja uno a uno   197

Prólogo

Durante la mayor parte de este siglo, Booz-Allen & Hamilton ha colaborado con las empresas más grandes del mundo y los equipos que las dirigen. Si bien este período de la historia ha sido tan frenético como fructífero, los temas que hoy llenan el ocupado calendario de los directores ejecutivos y sus grupos de liderazgo no han variado mucho desde hace dos decenios o más. Hoy, como en el pasado, el interés de los líderes de los negocios radica en hacer más competitivas sus empresas a la vez que mantienen a raya los costos y administran el haber. Los líderes de los negocios hoy, como en el pasado, desean generar patrimonio para la empresa, aumentar su participación en el mercado y ampliar las capacidades y el alcance de su empresa. Si bien los temas que afrontan los líderes son los mismos hoy que en el pasado, el medio en el cual han de manejarse esos temas sí ha cambiado.

El medio de negocios de hoy es más complejo que en el pasado. No se trata de decir que las épocas anteriores fuesen más fáciles que la presente. El éxito en el pasado — igual que ahora — nunca ha sido fácil de alcanzar. Pero al contrario del pasado, los negocios de hoy afrontan un nivel de complejidad creciente ocasionado por la globalización, por tecnologías nuevas, por las condiciones rápidamente cambiantes del mercado y por la competencia surgida de los lugares más inesperados. Industrias enteras — por ejemplo la del minicomputador — nacieron, llegaron a su cenit y cayeron en el abismo de la regresión en poco más de un decenio. Otras, como el negocio de los grandes computadores centrales que se consideró casi difunto, han renacido con fuerza.

En ciertas industrias, el camino hacia el vigor renovado y la salud prolongada consiste en concentrarse en las capacidades esenciales de la empresa y su interés comercial primario. Otros negocios requieren la capacidad de estar innovando continuamente. Ciertas empresas han tenido que reinventarse totalmente con el fin de prosperar y crecer. Monsanto, por ejemplo, se despojó de su negocio químico de decenios para convertirse en una empresa de bioingeniería, mientras que Westinghouse, una de las compañías más antiguas de los Estados Unidos, se transformó de una empresa conocida principalmente por sus equipos generadores de energía, entre ellos centrales de energía nuclear, a una empresa de medios de comunicación que adoptó el nuevo nombre de CBS.

Para sobrevivir y prosperar, unas empresas han formado vínculos con sus rivales principales mientras otras han cortado los lazos con sus amigos más cercanos. Desde cierto punto de vista, éste ha sido un período de consolidaciones, alianzas y francas adquisiciones. Desde otro punto de vista, ha sido un período de traspasos, desuniones y nuevas uniones. Desde todo punto de vista, ha sido una era de complejidad.

Los problemas perennes de hoy, al contrario de los de ayer, exigen una serie de soluciones nuevas y altamente individualizadas. Por ser tan grande la complejidad, la capacidad para generar soluciones estandarizadas se encuentra en su nivel histórico más bajo. Como resultado, lo que importa es la capacidad de analizar problemas con atención, prontitud y creatividad. Lo que importa es resolver problemas de maneras novedosas y disciplinadas. Lo que importa es la capacidad de pensar en un asunto a la vez que se mantiene el mercado en mente. Lo que más importa es la creatividad.

El objetivo de los libros de la serie *Strategy & Business* no es decirles a los líderes de los negocios qué deben pensar. Ello sería arrogante, incluso necio, dado el veloz ritmo de cambio así como la diversidad de situaciones empresariales y las personalidades de los líderes de los negocios hoy. El objetivo sí es indicarles a los líderes de los negocios en *qué* pensar. La diferencia entre *qué* pensar y *en qué* pensar es la diferencia entre una rígida lista de pensamientos dictada por alguna fuente de sabiduría, y un temario para discusión. En el período actual, la capacidad para discutir, razonar y argumentar acerca de diferentes casos y puntos de vista siempre resulta mejor que los dictados rígidos.

En los últimos años, Booz-Allen ha dedicado mucho tiempo a reflexionar sobre el temario corporativo. Lo ha hecho entrevistando a líderes, haciendo encuestas de empresas, repasando sus propios proyectos y consultando con académicos. El contenido de esta serie de libros — y específicamente de este libro sobre *Los canales de distribución* — refleja el contenido de aquel temario de los negocios.

Lo que hemos encontrado en nuestras investigaciones es que las grandes inquietudes en cuanto a la definición de valores y visión, la gestión de personal y de riesgos, la adaptación a mercados alterados y a tecnologías nuevas y la evaluación de los conductos de ventas y de la composición de la cartera han adquirido más importancia a medida que se intensifica la competencia, se multiplica la velocidad de los computadores, se complican las empresas y se globaliza cada vez más la economía.

Al mismo tiempo, dadas las presiones externas y las modalidades gerenciales cambiantes, los nuevos planteamientos acerca de tales inquietudes han recorrido las salas de juntas y los pisos de las fábricas con una extraordinaria sincronicidad. Algunos de estos cambios reflejan orientaciones radicalmente distintas; otros son de índole enteramente pragmática.

En nuestra propia labor, hemos visto últimamente que el temario del director ejecutivo va orientándose más hacia el aumento de ingresos en vez del recorte de costos y hacia la gestión de la nueva corporación en vez de la reestructuración de la antigua. Según nuestra observación, el nuevo temario para los directores ejecutivos y sus altos equipos se refleja en tres variaciones sobre estos temas:

Gestión para el crecimiento

Rediseño de los procesos de negocios, la próxima generación

La nueva organización

Lo que ha llevado a los directores ejecutivos a cambiar su orientación parece claro. Muchas empresas importantes, aunque no todas, han completado la primera ola de reingeniería de sus procesos de negocios (BPR en inglés), completando de este modo aproximadamente el primer ochenta por ciento de la reestructuración de costos. Ahora tienen que acudir al aumento de ingresos para su próximo salto decisivo en el mejoramiento del desempeño. Tal situación impone a los gerentes una mentalidad expansiva, reforzada, sin duda, por la recuperación de las ganancias corporativas en los últimos años.

Al mismo tiempo, la ola de desestratificación, reestructuración y reingeniería ha dejado a muchas empresas en un mundo intermedio entre el antiguo y el nuevo. Los procesos gerenciales tradicionales se han descartado y desmantelado; no siempre se cuenta con otros nuevos procesos cómodamente establecidos. Aprender a gerenciar en el mundo posterior a la reestructuración se ha convertido en una necesidad de vida o muerte con implicaciones para el papel del director ejecutivo en las tareas de forjar capacidades esenciales y prioridades críticas y de determinar qué funciones han de contratarse por fuera y cuáles seguirán siendo de planta.

• *Mercados emergentes.* Aun teniendo en cuenta los actuales problemas económicos del Asia, la mayor parte de los directores ejecutivos miran hacia los mercados emergentes de esa región y de América Latina (y en mucho menor grado, posiblemente miope, hacia Europa Oriental) como las claves para el crecimiento futuro. Por una parte, tenemos el auge de la infraestructura (un billón de dólares para el año 2000 según ciertos estimativos); por otra parte, hay un mercado de consumidores en potencia casi infinito a medida que más y más segmentos de aquellas gigantescas poblaciones entran a formar parte de la economía de mercado. Ya existen unos 300 millones de "consumidores" con poder de compra paritario en los mercados emergentes del mundo. Y tal cifra representa apenas el 10 por ciento aproximadamente de la población total de dichas regiones.

• *Nuevos productos, conductos y servicios.* La capacidad de mantener la innovación en materia de productos, conductos y servicios se está convirtiendo en una fuente principal de ventaja competitiva en una amplia gama de industrias.

• *Adquisiciones, consolidaciones, alianzas e integración después de la conso-*
lidación. Al ir mejorando los balances generales, el número de adquisiciones
corporativas ha comenzado a repuntar notoriamente. Hay incluso indicios
de que parte del valor liberado por las recientes adquisiciones lo están
captando los accionistas del adquiriente y no sólo los del adquirido, como
ha sido abrumadoramente el resultado histórico. Tal tendencia concuerda
con nuestra observación de que las adquisiciones actuales parecen más
acordes con las capacidades y estrategias esenciales del adquiriente que en
el pasado.

• *Apalancamiento fortalecido.* Nuestros clientes están haciendo más
hincapié en los fundamentos de su negocio: mejor atención al cliente, mejor
gestión de la comercialización y la fuerza de ventas y determinación de
precios más táctica y mejor. Gran parte de estos cambios estaban en mora.
Pese a lo sostenido por muchos analistas de la BPR, las recientes rondas de
reingeniería y reestructuración dejaron a muchos de estos procesos básicos
más débiles que antes.

El énfasis relativo en una y otra vía de crecimiento varía necesariamente. Nuestro propio análisis de cien empresas que arrojaron un aumento
patrimonial superior al promedio en los últimos dos decenios sugiere que la
principal fuente de crecimiento ha sido la expansión en los mercados
emergentes. En segundo lugar, están las estrategias de división que redefinen
la base de la competencia en las industrias maduras y, en tercer lugar, la
constante innovación de productos y el fortalecimiento de la marca. Las
adquisiciones dieron resultados menos buenos, con algunas excepciones
notables.

Para captar el crecimiento diferenciado, los directores ejecutivos
han de fomentar las capacidades y aptitudes nuevas y mejoradas dentro de
sus organizaciones. Por ejemplo, la innovación se ha atribuido por mucho
tiempo a una capacidad para los negocios susceptible de diseñarse, mejorar-
se y administrarse pero también, en igual grado, a golpes de suerte. Por
tanto, muchas organizaciones se abstienen de administrar su capacidad de
innovación por temor a interferir con fuerzas creativas que ellas mismas no

comprenden a cabalidad. De hecho, y como lo han demostrado empresas como Chrysler Corporation y Sony Corporation, las empresas sí pueden diseñar y administrar la capacidad de innovación en diversas formas. Algunas de ellas son: fortalecer los procesos de negocios asociados con la comprensión de los mercados; planificar líneas de productos; administrar la tecnología y desarrollar productos o procesos, o bien mejorar los sistemas de medición empleados para vigilar la innovación; y establecer procesos sistemáticos para captar y difundir el aprendizaje organizacional y las mejores prácticas.

De igual manera, para captar todo el potencial a largo plazo de los mercados emergentes, los directores ejecutivos tendrán que trasladar el centro de gravedad de sus organizaciones, sus "equipos de cerebros gerenciales" y su propia mentalidad hacia dichos mercados... y para ello les queda un largo trecho. El éxito en los mercados emergentes también exige un proceso diferente para la toma de decisiones. El ritmo de cambio es tan veloz que los procesos de planificación tradicionales sencillamente no funcionan. Por ejemplo, mercados que tardaron un decenio para desarrollarse en los Estados Unidos y seis años en el Japón, están evolucionando en menos de dos años en ciertas partes de la China.

Lo que hace falta es un espíritu empresarial estratégico, una visión relativamente clara de los objetivos a largo plazo y una serie de fronteras estratégicas firmes que puedan emplearse para preseleccionar oportunidades. Los directores ejecutivos también precisan una mentalidad altamente empresarial en la creación y el aprovechamiento de oportunidades y en el paso de un escenario a otro a medida que éstos se van presentando.

Ahora bien, el crecimiento trae también incertidumbre y más complejidad, lo cual tiene ciertas implicaciones para la manera como las empresas han de ver la gestión de riesgos. Entre los temas "perennes" en el temario del director ejecutivo hemos encontrado que la gestión de riesgos es el que exige un máximo de atención.

Mientras los directores ejecutivos piensan en el crecimiento, sus plazos se van alargando. Nos encanta pedirles a nuestros clientes que calculen su horizonte de tiempo. Las respuestas varían según la salud del negocio a corto plazo, pero el enfoque estratégico se ha alargado a unos siete años. Anteriormente, 18 meses no era raro. En el último par de años nuestra firma ha visto un auge de proyectos que implican elaborar modelos del futuro relativamente lejano y dirigir equipos gerenciales en simulacros estratégicos de complicados juegos de guerra para sus industrias.

Los cambios demográficos, los avances tecnológicos y las mutaciones globales tienen amplias implicaciones para las fronteras competitivas y los patrones de la demanda en prácticamente todas las industrias. Cada vez más, los directores ejecutivos ven como uno de sus papeles esenciales el de estimular a su empresa a reflexionar sobre lo que depara el futuro. Los más osados escogen un escenario y moldean su negocio para ajustarse a él.

Los directores ejecutivos siempre han entendido su papel en la tarea de forjar la visión corporativa. Hoy esto se complementa con un esfuerzo por fijar e inculcar valores corporativos claros. No son éstos un simple medio de edificación espiritual sino un vehículo para comunicar el enfoque estratégico y las fronteras operacionales a todos los empleados. Esto representa un cambio de enfoque en comparación con la mayor parte de los estrategas de hace 10 años.

El paso hacia adelante implica concentrarse tanto en la visión como en la comunicación. Es preciso que toda la organización comprenda el rumbo estratégico de la empresa y se sienta facultada para alcanzar esa meta.

A lo anterior se asocia el renovado interés de las organizaciones por el papel del centro o núcleo corporativo. En un simposio reciente donde los socios de Booz-Allen hablaron de los temas de negocios más importantes para los clientes de la firma, descubrimos que la mayor parte de los socios participantes estaban colaborando con empresas grandes para resincronizar y redefinir el papel del centro corporativo.

Dicho replanteamiento corresponde en cierta medida a la necesidad de modificar los procesos gerenciales a fin de adaptarlos a la organización posterior a la reestructuración. Pero también está impulsado por presiones competitivas externas; las mismas presiones del mercado que llevaron a las empresas a reducir sus costos están obligándolas ahora a replantear la lógica integradora de sus portafolios de negocios.

Gran parte de la reflexión al respecto vuelve sobre el tema de qué empresas deben estar en la cartera corporativa y cómo la empresa puede agregar valor en vez de restarlo, como sucede con demasiada frecuencia. Además del debate tradicional sobre las formas más apropiadas de los sistemas de desempeño estratégico y financiero, esta ola de reanálisis se concentra en el desarrollo de organizaciones realmente globales (en muchos casos distribuyendo geográficamente las funciones tradicionales del "centro"), en la concepción y la administración de alianzas estratégicas y otras relaciones empresariales ampliadas, y en algunas formas de valor agregado más "blandas".

Estas últimas comprenden la inculcación de la identidad y los valores corporativos compartidos, así como la captación y despliegue del aprendizaje organizacional y de las mejores prácticas. El valor agregado corporativo es cada vez más cuestión de aplicar el capital intelectual y no tanto de auspiciar economías de escala en los costos unitarios.

También estamos viendo a los altos estratos prestar más atención a la gestión mediante procesos. La ola de reestructuración, reingeniería y desestratificación exige modalidades gerenciales diferentes de las que se aplicaron en el pasado. Sin embargo, estas nuevas modalidades han tardado en desarrollarse. En un análisis reciente que hicimos de 28 empresas reestructuradas, encontramos que en la mayoría de los casos el director ejecutivo y su alto equipo gerencial seguían administrando esencialmente de la misma manera que antes. Empleaban los mismos procesos para decisiones, planificación y control así como los mismos sistemas de gestión de la información y presentación de informes. La mayoría de ellos reconocía dicha disparidad pero no estaba segura de cómo resolverla. La solución radica en tomar las siguientes medidas:

- Reorientar a los altos ejecutivos para que administren y habiliten "procesos" y no unidades de la organización.

- Reestructurar explícitamente el proceso de toma de decisiones en lo que respecta a la alta gerencia misma, con los cambios correspondientes en cuanto a estilo y delegación de autoridad.

- Crear nuevos sistemas de gestión del desempeño que complementen el mundo reestructurado e incorporen una capacidad de aprendizaje.

Al comenzar a entenderse con estos temas, los directores ejecutivos también comienzan a tomar más en serio algunos de los conceptos que han acogido de palabra en los últimos años. La organización horizontal, la gestión basada en equipos, la organización abierta al aprendizaje, la transferencia de poder a la gente y conceptos similares han ocupado un lugar en el habla de los ejecutivos desde hace varios años. Sin embargo, el lenguaje corporal de los directores ejecutivos solía seguir reforzando las tradiciones más antiguas y jerárquicas. Ahora esto comienza a cambiar a medida que los directores ejecutivos comprenden mejor estas ideas y se muestran más sinceros en su deseo de ponerlas en práctica.

El último elemento de la nueva organización tiene que ver con los protagonistas mismos. La formación del equipo gerencial siempre es un renglón en el temario del director ejecutivo. Hoy prácticamente todos los directores ejecutivos con quienes hablamos dicen que su reto número uno es generar más espíritu empresarial y trabajo en equipo entre sus 100 gerentes más altos.

Este enfoque renovado sobre el alto equipo obedece a varios impulsos. Ante todo, el ritmo y el volumen de cambio que enfrentan la mayoría de las empresas hacen necesario compartir la carga. No se puede esperar que el director ejecutivo la lleve solo. Por otra parte, está la necesidad de volver a forjar el contrato social entre los gerentes y la empresa. Una consecuencia de la reestructuración y los recortes ha sido una revocación unilateral de las lealtades implícitas.

Los directores ejecutivos están explorando diversas maneras de reestructurar sus equipos, entre ellas la realización de ejercicios explícitos de formación de equipos, ajustes a los sistemas de medición y premiación y experimentación con recursos tales como los "fondos de riesgo" internos para estimular el espíritu empresarial. También vemos una renovada concentración en la selección, incluida la voluntad de buscar más allá del equipo local para contratar a los mejores protagonistas.

A medida que el temario del director ejecutivo va evolucionando, surge la pregunta natural: ¿es correcto o no el enfoque actual? A nuestro modo de ver, el actual temario está bien orientado. Sin embargo, el próximo decenio verá casi seguramente una selección de ganadores por un lado y de perdedores por el otro, al menos tan significativa como la ocurrida en los últimos dos decenios. De las 500 empresas de Fortune enumeradas hace 20 años, menos de la mitad figuran en la lista hoy y un buen número de las sobrevivientes deben su posición no a un desempeño estelar sino a su descomunal tamaño. Las empresas que perdieron su posición fracasaron porque les faltaba ahondar en las necesidades de su clientela y en las implicaciones de la tecnología y de los nuevos canales. Además, permitieron que en sus sistemas de entrega se acumularan cuellos de botella en materia de servicios, así como costos excesivos. Como resultado, dejaron que competidores extranjeros y novatos les ganaran en precios y en cumplimiento.

En teoría, el nuevo temario del director ejecutivo ayudará a los líderes de los negocios a evitar los mismos pasos falsos en el futuro. Lo hará de diversas maneras: la concentración en el crecimiento y la innovación implican una mayor comprensión de los clientes y propuestas de valor fortalecidas. La segunda ola de reingeniería de procesos de negocios mejorará el valor, a la vez que mantendrá bajos los costos; y la nueva organización se concentrará en el aprendizaje compartido, el mejoramiento continuo y un mayor espíritu empresarial. En general, observamos un intento más concertado de parte de los directores ejecutivos por comprender y posicionar sus empresas con miras al futuro.

En la práctica, es de esperar que unos directores ejecutivos y unas empresas lo hagan mejor que otros. Así es la competencia. Pero desde nuestro punto de vista, es claro que los ganadores serán aquellos directores ejecutivos capaces de integrar el nuevo temario con su propia visión clara, a la vez que simplifiquen el reto de la ejecución e inspiren a su organización a que logre un desempeño más allá de todas las expectativas.

Nueva York   William F. Stasior
Presidente de la junta y director ejecutivo
Booz-Allen & Hamilton

Prefacio

Una idea brillante puede dar origen a un imperio comercial. Basta preguntarle a Michael Dell. Su destello de inspiración, que resultó valer $12 billones*, fue que podía dejar de lado a los concesionarios, canal por el cual se vendían entonces los computadores personales. En su lugar, vendería directamente a los clientes y fabricaría los productos sobre pedido. Dell creó un nuevo canal para vender y fabricar PC. El nuevo canal significaba que la empresa ya no estaba a merced del margen de utilidad de los revendedores. Tampoco tenía la carga de mantener inventarios grandes. De hecho, lo que se logró fue lo óptimo en círculos virtuosos. Los costos eran bajos y las ganancias altas. "Uno logra tener una relación con el cliente", explica Dell, "y esto genera información valiosa, que a su vez nos permite aprovechar nuestras relaciones tanto con proveedores como con clientes. Sume esta información a la tecnología, y se tiene la infraestructura que permite revolucionar los modelos de negocios fundamentales de las grandes empresas globales".

Hoy, otras empresas están siguiendo el ejemplo de Michael Dell, descubriendo nuevos y diferentes canales para la comercialización. En muchos casos, es su capacidad para inventar y administrar estos canales lo que está revolucionando sus respectivas industrias. Lo que un creciente

---

* En este libro todas las cifras monetarias se expresan en dólares estadounidenses. Un billón de dólares equivale a mil millones de dólares. *(Nota del editor.)*

número de empresas puntero en el mundo está comprendiendo es que la gestión de canales encierra poder para alterar las reglas del juego.

El objetivo de este libro es estimular al lector a pensar en la importancia relativa de los temas que tienen que ver con los canales. No pretende ser un libro que explique cómo hacer las cosas ni una panacea para todos los problemas de la corporación. Lo que hace es describir la mejor práctica en la gestión de canales y ofrecer ejemplos específicos del mundo real para demostrar cómo las empresas en industrias desde tapetes hasta alta tecnología se han valido de canales para lograr una ventaja competitiva y agregar valor al desempeño de su negocio. También esboza un proceso sistemático para hacer que los canales funcionen — no los detalles cotidianos, que varían de una industria a otra y de una cultura corporativa a otra — sino un panorama de cinco etapas que se observan en todos los casos en que se han aplicado los canales con éxito.

¿QUÉ ES LA GESTIÓN DE CANALES?

La gestión de canales es algo más que distribución o logística, aunque éstas son obviamente importantes. Es una manera de pensar, una manera de formar nuevas conexiones con los clientes a fin de explotar nuevas oportunidades comerciales. Un canal es la esencia del modo como interactúan los clientes y el negocio; es todo lo que encierra el cómo y el dónde las personas compran un producto o servicio y cómo y dónde utilizan ese producto o servicio. Es una ruta del negocio hacia su cliente y una relación sostenida entre ambos. Determina toda la experiencia de comprar y poseer (o consumir). Cuando pensamos en términos de canales, debemos estar pensando en estrategia: la gestión eficaz de canales ofrece la oportunidad de reinventar no sólo el propio negocio sino la industrias de la cual forma parte.

Tomemos un ejemplo sencillo: productos enlatados. Unos clientes siempre preferirán el canal tradicional, o sea acudir a la tienda de abarrotes local o al supermercado para comprar ensalada de frutas, frijoles, o lo que sea. Ciertos clientes comprarán el mismo producto en alguna tiendita de vecindario. Pero otros acogerán con agrado el servicio de compras a domicilio por medio del teléfono, el servicio de cable o la Internet. En todos los casos, el producto — los enlatados — es el mismo. Únicamente varían los canales. Y es el canal lo que imparte un valor adicional a la relación.

En la actualidad, algo muy similar puede decirse de Amazon.com, el advenedizo que llegó a convertirse en el librero minorista más grande del mundo simplemente ofreciendo a los compradores un nuevo canal por medio de la Internet. El libro sigue siendo un libro tradicional; lo único que ha variado es el canal. En vez de limitarse a comprar un libro, los consumidores eligen una experiencia de compra y lectura que varía enormemente según el canal elegido. En las tiendas más nuevas de Borders y Barnes & Noble, donde la compra del libro va acompañada de barras para tomar café y distracciones musicales, es mucha la diferencia con el canal de una librería tradicional o el de Amazon.com.

La gestión de canales, pues, es una manera sistemática de llegar a los clientes y atenderlos, estén donde estén y por los medios que a ellos les agraden. Se trata de identificar a los clientes más importantes para el negocio. Se trata del modo de consumar la relación con los clientes, del modo de comunicarse con ellos. Del modo de crear y captar valor del producto después de la venta inicial.

El resultado final de una buena gestión de canales es algo que conviene al negocio, cualquiera que éste sea. La buena gestión de canales mejora el servicio al cliente. Le ofrece al consumidor una selección más amplia. Genera respuestas creativas a sus necesidad y aspiraciones. Puede alterar la definición fundamental del negocio en el cual usted se encuentra.

CONTENIDO

La primera parte fija la premisa básica. En el capítulo 1 vemos las razones que hacen de la gestión de canales un elemento de vital importancia para el éxito corporativo. La fuente tradicional de valor competitivo — diferenciación basada en el producto — va perdiendo importancia en la economía global, en la cual alguien en alguna parte puede hacer una copia satisfactoria de cualquier objeto físico y en la cual cualquier fabricante puede llegar a cualquier cliente en potencia en cualquier parte del mundo. Las diferencias que no se copian fácilmente son las diferencias en materia de servicios y respaldo, y estas diferencias son elementos del canal. El capítulo 2 desarrolla la idea de excelencia en el servicio. Muestra cómo un canal eficaz funciona en ambas direcciones, trayéndole a la empresa información que le permita adaptarse a las necesidades reales del mercado rápida y eficientemente, a la vez que mantiene a los clientes demasiado contentos para ir a buscar en otra parte los bienes que desean.

La segunda parte presenta los cinco pasos esenciales para la gestión de canales, dedicando un capítulo a cada uno. Los pasos forman un ciclo continuo: comprender las necesidades de los clientes en materia de compra y propiedad, formular nuevos conceptos de canal para cada segmento de clientes, hacer pruebas piloto para refinar la parte económica y el posicionamiento competitivo de los conceptos de canal, aplicar los conceptos una vez formulados y estudiar los resultados y refinar la posición, mejorando así la comprensión en cuanto a los clientes y dando comienzo al ciclo nuevamente.

La tercera parte da un paso atrás para observar todo el proceso de gestión de canales y entenderse sus posibles peligros y oportunidades. Uno de los elementos claves de la gestión de canales es el desarrollo de suficientes canales separados para dirigirse a cada segmento reconocible del mercado, pero cuanto mayor el número de canales que se tenga, mayor la posibilidad de que interfieran unos con otros. El capítulo 8 analiza maneras de reconocer un potencial conflicto de canales y prevenirlo antes que se convierta en problema. El capítulo 9 trata de la necesidad de mantenerse adelantado al juego, formando y refinando canales constantemente y estando siempre alerta a nuevas maneras de respaldar a los clientes y mantenerlos ligados a la empresa. Una empresa que se confíe en un juego de operaciones probado y fidedigno corre el riesgo de descubrir un buen día que otro ha reinventado el negocio dejándola por puertas. Al final, el éxito es cuestión de uno: un cliente toma la decisión de comprar y permanecer con la empresa, y esta decisión única repetida múltiples veces es lo que lo mantiene a uno en el negocio. El capítulo 10 mira hacia el futuro al mundo interconectado del comercio electrónico, donde las empresas pueden trabajar eficazmente con sus clientes en segmentos de uno, produciendo exactamente lo que el cliente desea, en el momento oportuno preciso, maximizando la satisfacción simultáneamente con la minimización de los costos y conservando un canal resistente a las incursiones de los pretendidos competidores.

Nada de lo anterior es proyección etérea y optimista. En una industria tras otra las empresas están descubriendo, ahora mismo, que la gestión eficaz de canales sencillamente es buen negocio. A lo largo del libro se encuentran ejemplos de las mejores prácticas actuales: empresas que nosotros llamamos "campeones de los canales", tomados de nuestra experiencia como consultores gerenciales y de investigaciones en Norteamérica, Europa, Suramérica y Asia. El resultado no es una fórmula más para el éxito sino una introducción a un medio flexible y poderoso para observar el medio corporativo emergente y prosperar en él. Nuestra intención en todo momento ha sido estimular el debate y motivar a los ejecutivos a examinar las posibilidades de la gestión de canales en su propia organización. No todos podemos ser Michael Dell, pero todos podemos derivar lecciones importantes de su éxito.

Steven Wheeler
Munich, Alemania
Evan Hirsh
Chicago, Illinois

PRIMERA PARTE

(Re)planteamiento de los canales

La diferenciación basada en productos ha sido tradicionalmente la piedra angular de la competitividad corporativa. El dominio del mercado correspondía a los mejores productos. Aunque ello fue cierto alguna vez, ya no lo es. Ahora lo que se está convirtiendo en factor clave es la calidad del servicio.

1. *Tres factores explican la importancia decreciente de la diferenciación basada puramente en productos:*

- La competencia global creciente hace más difícil controlar cualquier mercado.
- La evolución tecnológica rápida ha acortado el ciclo de vida de los productos.
- Los productos se imitan, se copian, se igualan o se superan rápidamente, no importa dónde hayan sido producidos ni quién los produjo.

Ahora bien, diferenciarse de la competencia sigue siendo importante. Ahora, además de la diferencia entre productos las empresas están distinguiéndose por los servicios que proveen a su clientela. Los servicios consisten no sólo en aquello que se ofrece distinto del producto (financiación, entrega, garantías) sino en todo el conjunto de interacciones para la compra y el respaldo de posventa. En otras palabras, lo que realmente constituye un canal son las experiencias y relaciones que el canal entrega.

En consecuencia, la gestión de estos canales ha adquirido una enorme importancia y ciertas empresas de alto desempeño — los campeones de los canales — ya la están utilizando.

2. *A medida que decrece la diferenciación entre productos, se va haciendo más importante la diferenciación entre servicios.*

La excelencia en el servicio no es algo flojo ni etéreo. Tiene que ver con la entrega de beneficios sustanciales y medibles al cliente, beneficios que éste valore y por los cuales esté dispuesto a pagar. Al entregar tales beneficios los canales cumplen tres papeles:

- Flujo de información (entrante y saliente)
- Logística para entregar productos y servicios al cliente final
- Servicios de valor agregado que acrecentan el producto o servicio

La gestión de canales ofrece la oportunidad de entregar nuevas combinaciones de producto y servicios. En el actual mundo de los negocios, el paquete de producto y servicios es lo que determina una diferenciación y una ventaja competitiva.

Capítulo 1

La ventaja del canal
De los productos a las relaciones con los clientes

Tenemos que formar sistemas y estructuras de respaldo,
además de productos, que determinen ventajas competitivas
para nuestros concesionarios y les permitan competir con más
que sólo producto y precio sobre una base transaccional.

— JAMES HEBE, PRESIDENTE Y DIRECTOR EJECUTIVO,
FREIGHTLINER CORPORATION

En el principio érase el producto.

Siglos ha, los artesanos se esmeraban en sus productos. Tal era su devoción que iban forjando cada pieza centímetro a centímetro, creando objetos de utilidad o belleza o ambos. En la era industrial, para un fabricante como General Motors lo mismo que para un estudio cinematográfico como Warner Brothers, los productos fueron la unidad básica de la fuerza y la debilidad competitivas.

Aunque las nuevas empresas hacían más productos más eficientemente de lo que jamás creyeron posible los antiguos artesanos, la premisa fundamental seguía siendo la misma: los productos mejores o más baratos atraían más clientela; más clientes satisfechos generaban ventas repetidas y a su vez mayor ganancias. Los atributos tangibles — el aspecto, el gusto, el aroma, la sensación táctil del producto — lo eran todo. El factor de referencia sencillo por el cual se medían todos los negocios eran sus productos. La diferencia estaba en la calidad.

La anterior es, desde luego, una interpretación simplificada de lo que importaba en el pasado. Pero en general es acertada (con pocas y honrosas excepciones). Aún hoy la mayor parte de los fabricantes salen al mercado pensando ante todo en el producto. Piensan en la manera más eficiente de fabricarlo, piensan en sus atributos. Lo miran, lo tocan, lo prueban. Consideran qué precio debe llevar. Piensan cómo los clientes y grupos de clientes interactúan con el producto. Ven el éxito o fracaso como algo que depende del producto. Si el producto está bien, todo lo demás caerá de su peso y sin esfuerzo.

Es éste un hábito corporativo bien arraigado. Sin embargo, resulta peligroso el juego de concentrarse exclusivamente en el producto. Henry Ford se inventó la producción masiva y prácticamente se inventó un mercado masivo para el automóvil. Pero su fe ciega en el Modelo T estuvo a punto de llevar su empresa a la autodestrucción.

Henry Ford desapareció hace mucho tiempo, y ahora su empresa está buscando una nueva concentración en marcas y canales, pero aquellas viejas inquietudes siguen campantes en la vida de otros fabricantes de vehículos. El producto por encima de todo. Un elemento en la turbulenta historia de McDonald's en años recientes ha sido su concentración constante en el producto. Ciertas ideas como el Arch Deluxe y el Big Mac de 55 centavos han fracasado en gran medida en las operaciones estadounidenses de esta empresa. McDonald's es algo más que su producto, como lo demostraron el crecimiento de sus Puntos Especiales de Suministro* en aeropuertos y centros comerciales, su incursión en la venta minorista de comida mexicana y el crecimiento de las áreas de juego (Playlands). Sin embargo, con el apoyo de los dueños de franquicias en el formato de los

---

* SPODs — Special Points of Distribution — en inglés. *(Nota del editor.)*

antiguos canales, la empresa sigue concentrándose principalmente en campañas de comercialización en las cuales predomina el producto.

La diferenciación del producto se convierte fácilmente en fascinación con el mismo. La historia está repleta de productos brillantemente novedosos que poca gente compró y que hoy se encuentran apilados recogiendo polvo en los depósitos. Ejemplo clásico es el sistema de vídeo Betamax de Sony. Fue una gran idea. Se trataba de un producto realmente excelente fabricado por una empresa siempre original e imaginativa. Sin embargo, hoy no se encuentra un vídeo Betamax, excepto en algún museo.

Lo que se impuso a escala global fue el VHS originado por Matsushita. Matsushita desarrolló su vídeo VHS y obtuvo licencia para su tecnología mientras que Sony desarrolló el Betamax que es superiorísimo pero no se preocupó por sacar la licencia para la tecnología. Dio por sentado que su producto sería persuasivo. Pero en el caso de Betamax, ser superior no le bastó.

Ahora Sony vende por múltiples canales, incluso en sus propias tiendas en los mercados de las grandes metrópolis. La diferenciación del producto en sí fue perdiéndose rápidamente.

Pero aun suponiendo que se acierte, en los albores del siglo XXI la diferenciación basada en productos resulta más difícil de mantener. La superioridad del producto suele ser una ilusión pasajera. Más aún, el confiado argumento comercial de que la diferencia está en la calidad está dando paso rápidamente a un pronóstico más sombrío: diferenciación pura entre productos, R.I.P.

LA VENTAJA SE COPIA

La importancia decreciente de la diferenciación basada en productos como origen principal de la ventaja competitiva puede atribuirse a dos factores principales:

Primero, está la globalización de la competencia. En cualquier negocio, la vida se ha tornado más competitiva. Uno tiene que mantenerse al tanto de lo que sucede con el producto a escala mundial, y ello es prácticamente imposible por muchos recursos que se tengan. Las separaciones geográficas y físicas han desaparecido. Hay menos barreras al flujo de información. Si mejoramos un producto en Beijing gracias a la tecnología, alguien en Baltimore se enterará muy pronto de cómo lo hicimos, o viceversa. (Es de notar que en este nuevo orden mundial, la amenaza y la oportunidad van estrechamente enlazadas. La facilidad de acceso global constituye a la vez la oportunidad y la fuente de posible competencia.)

El segundo factor que ha determinado la importancia decreciente de la diferenciación basada en productos es la evolución tecnológica veloz. El cambio tecnológico significa que los productos requieren mejoras continuas para simplemente sobrevivir. El ciclo de vida de los productos se va acortando constantemente.

Estos dos factores dan origen a un resultado inevitable: la pronta imitación de los productos nuevos y de sus mejoras. Por ejemplo, los modelos de cámaras fotográficas tienen una vida tan corta como seis meses. El número de modelos en el mercado ha seguido aumentando a medida que los competidores se copian ávidamente las innovaciones unos a otros. Esta desenfrenada carrera sin fin muestra claramente que los productos siguen siendo importantes. Desde luego que lo son. Pero el hecho de tener enfoque automático o el dispositivo más novedoso no constituye el boleto ganador; es apenas el precio de entrada.

La arrolladora verdad es que nunca ha sido tan fácil copiar productos. Toda empresa que halle la manera de proteger sus patentes y derechos de reproducción tendrá la mayor seguridad de convertirse en un negocio formidable en el nuevo milenio. Hoy más que nunca, los clientes tienen a su alcance artículos que, a sus ojos, pueden sustituirse fácilmente por otros. Y no nos referimos a los vendedores callejeros en Malasia que venden agua de estanque disfrazada de Chanel ni a los falsificadores en Beijing que venden CD de Michael Jackson producidos en el patio de la casa. Casi cualquier producto en el mundo se puede reproducir rápidamente.

Especialmente susceptibles a la imitación son aquellos productos que dependen de sus atributos tangibles. Un Black & Decker de imitación producido en Birmania seguramente se verá igual y cumplirá su función del mismo modo. Pero probablemente no conservará su aspecto por mucho tiempo ni podrá cumplir su función mucho más allá del tiempo que demore el comprador en regresar a su país. Los vendedores callejeros de relojes llevan años aplicando tal estrategia. Si dicen que es un reloj suizo genuino, y se parece y se siente como un reloj suizo genuino, muy posiblemente nos dejemos convencer. El producto es persuasivo porque parece cumplir su función, aunque sepamos que no habrá ningún servicio de posventa.

Será fácil suponer que la copia de productos está reservada a los desesperados, los aprovechados o los pobres. No es así. Las grandes empresas del mundo están empeñadas en una ronda constante de avances copiados. Miremos a nuestro alrededor.

En el ámbito de los servicios financieros todo producto nuevo — sea una cuenta para ancianos o una hipoteca más flexible — se copiará casi instantáneamente. Surgen productos y servicios en un caudal ininterrumpido a medida que los antiguos se alteran, se reemplazan o se rehacen y a medida que se van lanzando otros enteramente nuevos. En un año el banco inglés NatWest lanzó 240 productos nuevos o mejoras a productos existentes.

Lo anterior ya no tiene nada de raro. Explicando la estrategia de su empresa, George Schaefer, director ejecutivo del Fifth Third Bank domiciliado en Cincinnati, dice: "A moverse. Así somos. Es lo que hacemos. En servicios financieros, si cualquiera en la ciudad sale con un producto nuevo, todos los demás lo tendrán cinco segundos más tarde, y lo que realmente importa es la ejecución diaria". (Schaefer llega al meollo del argumento: cámbiense los productos todo lo que se quiera, pero la verdadera batalla está en el cómo y el dónde se entregan diariamente.)

En industria tras industria, las ideas novedosas de hoy se convierten rápidamente en atributos permanentes. Lo que hoy es la vanguardia mañana será la condición de ingreso. En el mercado de automóviles los frenos antideslizantes se anunciaron como un gran avance. BMW hizo gala de su invento. Ahora los frenos antideslizantes dejaron de ser una ventaja y BMW ha pasado a la "telemática" en una empresa conjunta con Motorola.

Veamos los champús. Procter & Gamble (P&G) trabajó laboriosamente para desarrollar el champú dos en uno. Tras un decenio dedicado al perfeccionamiento de su tecnología, lanzó el producto con el bombo y los platillos de rigor. Al cabo de dos años la mayor parte de sus competidores habían hecho lo mismo. Los años de inversión y un producto fuera de serie le trajeron sólo una ventaja pasajera.

Los productos, pues, sí pueden brindarnos una ventaja competitiva. Pero ésta no es sustentable por largo tiempo, y el período se acorta cada vez más.

Dicho fenómeno es típico de los mercados en etapa de maduración y se está imponiendo en muchísimas industrias. La industria donde más salta a la vista es la de computadores personales. En el lapso de dos generaciones hemos visto una notoria reducción en la diferenciación basada en productos e incluso en la basada en desempeño.

REPERCUSIONES PARA LOS PROVEEDORES

La pérdida de diferenciación entre productos tiene implicaciones para el cómo, el dónde y el porqué la gente los compra. Ciertas suposiciones fundamentales acerca de la relación entre proveedor y cliente zozobran, generando ondas de tamaño considerable por doquier. Reducido el predominio del producto, se altera dramáticamente el equilibrio del poder en las relaciones. Lo más importante ya no es el control del producto sino el control del canal.

Por ejemplo, pensemos en lo que sucede a los proveedores. A medida que decrece la diferenciación basada en productos, las tradicionales fuentes de poder del proveedor se debilitan. Ello trae tres importantes repercusiones .

La primera y más obvia es que el hecho de contar con un producto más avanzado o más eficaz ya no es garantía de éxito. El Apple Mac puede seguirse elogiando como un producto novedosísimo pero no bastó para mantener a Apple. Es claro que las empresas siempre desean tener un producto mejor — véanse los intentos de Burger King por desplazar a McDonald's como el productor de las mejores papas a la francesa, o bien el formidable ataque de Colgate ($100 millones) contra Crest.

El segundo factor que debilita el poder de los proveedores tiene que ver con la atracción de la marca. Los clientes se han tornado más caprichosos que nunca. No vendrán corriendo automáticamente al oír el nombre del proveedor. La competencia desaforada entre marcas significa que ninguna de ellas está segura, como quedó ampliamente demostrado por el drama del Viernes de Marlboro, el Martes de los Pañales y la Guerra de los Jabones en Europa entre Unilever y P&G. Ni siquiera las marcas gigantes pueden confiar en su predominio automático.

El tercer factor debilitante es que el éxito futuro ya no queda garantizado por el hecho de contar con una clientela amplia y establecida. Obsérvese, por ejemplo, cómo Coca Cola (con Sprite) y Pepsi Cola (con Storm) incursionaron en la categoría de bebidas de lima-limón. Era un mercado rentable y estable, dominado desde hacía mucho tiempo por 7-Up pero que se distinguía de las bebidas de cola y demás sabores, razón por la cual a los grandes protagonistas les llamó la atención y se lanzaron. El mensaje es que no hay negocio sacrosanto. Ningún negocio puede darse el lujo de sentirse cómodo.

Los parámetros de un negocio — cualquier negocio — pueden cambiar de la noche a la mañana. Un volumen de clienes aparentemente seguro no es una medida de seguridad sino una invitación a la competencia. Y para trastornar más las cosas, las empresas pueden incluso verse aplaudidas cuando anuncian su deseo de reducir el número de clientes que tienen.

La realidad es que en una industria tras otra, el poder ha fluido corriente abajo de los productores a los concesionarios. Los formatos minoristas "matadores de su categoría" como Wal-Mart, The Home Depot, Best Buy, Car Max, Borders, Tire America, Office Max — la lista es interminable — ejercen presión sobre los proveedores, en busca de costos bajos y altos niveles de servicio. Los tradicionales elementos del poder — productos buenos, atracción de marca, una clientela establecida, una amplia línea de productos — han perdido gran parte de su impacto. Un impulso adicional proviene de los avances técnicos de todo género, desde códigos de barras hasta números telefónicos de pago revertido, que han dado a los concesionarios más capacidad para mejorar los niveles de servicio y reducir los costos, elevando así su valor para los clientes y su poder sobre otros proveedores (como lo demuestra la gráfica 1.1). Semejantes tendencias seguramente se irán acelerando.

LA DIFERENCIACIÓN BASADA EN SERVICIOS

¿Cómo, pues, romper esta espiral? Si la diferenciación del producto está perdiendo importancia, ¿qué nos queda? ¿Qué hay más allá? La solución, como tantas veces sucede, radica en el problema mismo. Si bien la diferenciación basada en productos está perdiendo poder, no debemos llegar a la conclusión de que toda diferenciación carece de importancia. Por el contrario: la diferenciación sigue siendo la vía fundamental hacia la ventaja competitiva. La pregunta ahora es: diferenciación *¿de qué?*

La respuesta, cada vez más, es que la diferenciación se logra tanto por los servicios que rodean al producto como por el producto mismo.

En consecuencia, los fabricantes están prestando cada vez más atención al valor agregado — o disipado — más allá de las puertas de la fábrica. No es de extrañar. Dicho valor puede ser tan alto como del 25 al 35 por ciento para muchos productos (ver gráfica 1.2). Efectivamente, el 90 por ciento de las posibles ganancias en el ciclo de vida de un automóvil para comercialización masiva no se relaciona con la venta inicial del producto.

Así, pues, además de la diferenciación entre productos tenemos diferenciación entre servicios. Ésta se basa en la segmentación de los clientes conforme al modo como desean comprar e interactuar con el producto. La fuente de diferenciación viene a ser entonces una combinación o paquete de productos y servicios. En este modelo, el canal adquiere una importancia vital.

Gráfica 1.1. La tecnología como facilitador de la corriente descendiente del poder

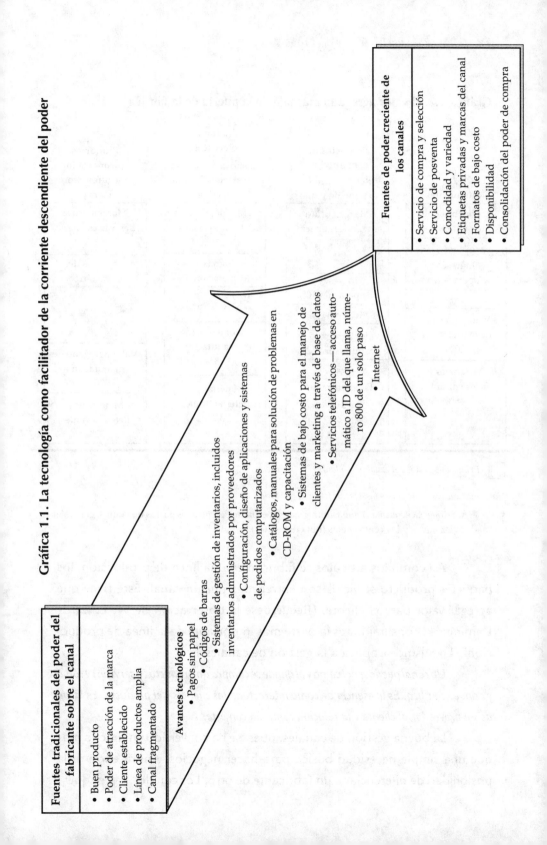

Fuentes tradicionales del poder del fabricante sobre el canal

- Buen producto
- Poder de atracción de la marca
- Cliente establecido
- Línea de productos amplia
- Canal fragmentado

Avances tecnológicos

- Pagos sin papel
- Códigos de barras
- Sistemas de gestión de inventarios, incluidos inventarios administrados por proveedores
- Configuración, diseño de aplicaciones y sistemas de pedidos computarizados
- Catálogos, manuales para solución de problemas en CD-ROM y capacitación
- Sistemas de bajo costo para el manejo de clientes y marketing a través de base de datos
- Servicios telefónicos — acceso automático a ID del que llama, número 800 de un solo paso
- Internet

Fuentes de poder creciente de los canales

- Servicio de compra y selección
- Servicio de posventa
- Comodidad y variedad
- Etiquetas privadas y marcas del canal
- Formatos de bajo costo
- Disponibilidad
- Consolidación del poder de compra

Gráfica 1.2. El valor agregado más allá de la puerta de la fábrica

Automóviles	Productos de construcción Revestimiento externo de vinilo	Productos eléctricos Acondicionadores y transformadores de energía	Productos posmercado para automotores Llantas
Margen bruto del concesionario 14%	Margen bruto del concesionario 30%	Margen bruto del concesionario 21%	Margen bruto del concesionario 25%
Logística 4%			
Ingresos de operación 5%	Ingresos de operación 10%	Ingresos de operación 8%	Ingresos de operación 5%
SG&A* 11%		SG&A 16%	SG&A 32%
Valor agregado de manufactura 20%	SG&A 11%	Valor agregado de manufactura 23%	
	Valor agregado de manufactura 12%		Valor agregado de manufactura 20%
Materiales y fletes entrantes 46%	Materiales y fletes entrantes 41%	Materiales y fletes entrantes 32%	Materiales y fletes entrantes 32%

Principales costos del canal post-planta

Nota: Excluye costos de partes y servicios fuera de garantía

* SG&A, *Selling, General and Administrative margin,* es la razón entre los gastos de ventas, generales y administrativos y las ventas netas (nota del editor).

Así como los artículos se fabrican en una línea de producción, los paquetes producto-servicios son entregadas por un canal. Éste tiene que agregar valor para el cliente. (Recuérdese la observación de W. Edwards Deming: "El consumidor es la parte más importante de la línea de producción". Lo mismo se aplica a la gestión de canales.)

Un canal puede ser el cómo y el dónde se compra un producto (o servicio) y cómo y dónde se utiliza. Es la esencia de cómo interactúan los clientes y el producto. Es la vía de un proveedor al cliente y la relación continua con éste.

La buena gestión de canales, pues, se ha convertido en mucho más que una simple necesidad básica para hacer negocios. Ahora encierra la posibilidad de diferenciar a un fabricante de otro. Los canales, y el paquete de servicios que éstos traen consigo, son una fuerza diferenciadora crucial. Como resultado, el modo en que una empresa administra sus concesionarios viene a ser una palanca crítica para mejorar el desempeño del negocio. Esto es lo que han comprendido un número creciente de empresas de éxito. Nosotros las llamamos "campeones de los canales" y están señalando el derrotero.

QUIÉNES SON LOS CAMPEONES DE LOS CANALES

La serie de empresas que se benefician de una eficaz gestión de canales, así como la amplia variedad de sus negocios, indican claramente que los canales son un hecho en el mundo de los negocios en todos los sectores e industrias. La gestión de canales es tan importante para un fabricante de automóviles como para una cadena minorista, un banco o un fabricante de lavaplatos.

Veamos lo sucedido en Levi Strauss. El producto ha sido más o menos el mismo durante decenios. Lo que ha cambiado es la manera como la empresa administra y percibe los canales por los cuales vende sus productos. "Estamos dirigiéndonos a un amplio abanico de consumidores para diferentes ocasiones en que se lleva ropa informal. Y mientras ellos sientan que nuestros productos satisfacen sus necesidades psicológicas además de los requisitos propios del producto mismo, hemos acertado", dice el director ejecutivo Robert Haas. Haas redefine sustancialmente su negocio para el nuevo milenio en un párrafo. El canal — la experiencia psicológica — es la clave; la satisfacción física con el producto sigue importando, pero es secundaria. "El negocio nuestro es vender comodidad. Y no sólo hablo de comodidad física. Quiero decir que estamos brindando comodidad psicológica — la tranquilidad de saber que al entrar en un salón lleno de extraños, o incluso de colegas de trabajo, uno está vestido dentro de la franja de lo aceptable. Aunque, obviamente, lo que un consumidor define como comodidad psicológica puede variar de un subsegmento a otro", dice Haas. El nuevo reto radica en conocer la psicología de los clientes actuales y potenciales, identificando un segmento tras otro. (Lo anterior no garantiza el éxito si el producto se adecúa cada vez menos al mercado, cosa que Levi Strauss descubrió para mal suyo.)

Así se trate de administrar un expendio de alimentos para animales o de fabricar llantas o de vender automóviles usados, el mejoramiento de los canales actuales y la apertura de nuevos canales mediante los cuales los clientes puedan interactuar con el producto constituyen quizá el medio más poderoso para impartir vida al negocio.

Los problemas de la gestión de canales se manifiestan en variedad de formas:

- Deterioro en las relaciones con el canal
- Participación decreciente
- Incapacidad de crecer
- Costos crecientes por medio del canal pero sin que se aumenten los servicios
- Los principales distribuidores o minoristas se amplían, se consolidan o agregan nuevas líneas de productos
- Reducción de los márgenes relativos
- Satisfacción decreciente del cliente final
- Los competidores encuentran maneras superiores de llevar bienes y servicios al mercado
- Proliferan las excepciones en cuanto a precios
- Cambio importante en la participación de un canal determinado

Con frecuencia creciente oímos a los altos ejecutivos referirse a la gestión de canales como una de sus mayores inquietudes:

- "No estoy seguro de tener el canal correcto".

  Necesidad de distribuidores o minoristas diferentes

  Necesidad de vender directamente

- "Mis concesionarios (o distribuidores) no están cumpliendo".

  No están creciendo

  Sus costos son excesivos

  Los niveles de servicio son planos o decrecientes

  No responden
- "Tengo antagonismos entre mis diferentes canales".
- "No logro llegar a nuevos segmentos del mercado".
- "No logro todos los beneficios de mis esfuerzos de reingeniería interna sin hacer cambios en los canales".

La necesidad de la gestión de canales trasciende todas las fronteras. Pensemos en un museo. Si hay un museo en nuestra ciudad, probablemente lo visitamos en algún momento, y damos el asunto por concluido. Hemos cumplido con nuestro interés cívico. Sin embargo, parte de la labor del museo debe ser brindarle el público oportunidades repetidas para interactuar con él, aunque sea únicamente para conservar y aumentar sus niveles de afiliación y asistencia. Podría hacerlo de incontable maneras: invitando a las escuelas a visitar, variando las exhibiciones, animando al público a participar en excavaciones arqueológicas o permitiéndole que ingrese tras bastidores, presentando exhibiciones viajeras, creando juegos y acertijos didácticos. La mayor interacción brinda al público la oportunidad de participar más y más. Un producto se mantiene fresco y novedoso cuando se brinda variedad de experiencias con el mismo, y hay muchas maneras de conservar esa frescura.

El proceso lógico es inexorable. En muchas industrias la competencia intensificada está generando más poder para los canales. Una cosa lleva a otra. Como hemos dicho, hay mayor disponibilidad de sustitutos que asemejan las características básicas de un producto. Los productos competidores pueden cumplir la función, presentar el mismo aspecto e incluso (excepción hecha de las estafas callejeras) resistir el desgaste del uso cotidiano. Las características impulsadas por el fabricante dejaron de ser el camino seguro a la fuerza competitiva. La realidad es que los niveles de calidad en la fabricación de productos han mejorado. El mismo tiempo, las empresas encuentran más difícil idearse artículos nuevos y distintivos debido a los ciclos de vida reducidos de los productos y por las respuestas más prontas de los competidores ante el desarrollo de productos nuevos.

Lo anterior genera más opciones para el cliente e intentos por suplir las necesidades de segmentos de clientes más nítidamente enfocados, incluso segmentos de uno. Ello exige un conocimiento aun más íntimo de los clientes, lo cual aumenta la presión hacia una diferenciación por factores ajenos al producto mismo. Ahora lo que cuenta no es sólo el artículo sino cómo, cuándo y dónde se le entrega al cliente.

Ciertos aspectos como comodidad, disponibilidad, experiencias de compra y propiedad y servicios de posventa, se tornan cada vez más importantes. El resultado inevitable es que la diferenciación y el poder descienden hacia los canales y hasta los consumidores finales.

A medida que los canales evolucionan para suplir las demandas cambiantes o más refinadas de los clientes, los actuales protagonistas o bien pierden terreno, o bien responden a medida que emergen ganadores nuevos. Ya hemos mencionado a Dell; pensemos también en Gateway, que está pasando rápidamente a la venta de computación, más que de PC. Y no es el único. En una amplia variedad de industrias estamos viendo surgir una oleada de campeones de los canales.

• *Genuine Parts en el posmercado de automotores.* Genuine Parts ayudó a transformar la industria de distribución mayorista posmercado de partes para automotores. Antes de su advenimiento, la industria se encontraba muy fragmentada, con estructuras separadas para intermediarios y distribuidores de almacén. Genuine Parts, con 63 centros de distribución en los Estados Unidos que abastecen a 5 200 pequeños mayoristas "asociados", trae al negocio una operación de almacén eficiente, uniforme y de gran escala. También ofrece una avanzada gestión de inventarios, interfaz electrónica con los proveedores, pequeños mayoristas e instaladores, y un amplio respaldo a los pequeños mayoristas. ¿El resultado? Reducción considerable de los costos de logística, mejores índices de despacho de pedidos, costos de venta reducidos, mayor ventaja en las compras a proveedores, una oferta más amplia de productos, un margen de operación de dos dígitos y la ampliación de las ventas en el negocio de automotores, las cuales subieron de $1,5 billones en 1985 a $6 billones en 1997.

• *United Stationers en útiles de oficina.* United Stationers aumentó sus ventas de $170 millones en 1980 a $1,5 billones en 1990, captando el 50 por ciento del mercado. Ahora sus ventas ascienden a $3 billones.

Prácticamente eliminó a los pequeños distribuidores independientes (si bien ahora siente la presión de los pequeños almacenes de útiles de oficina de bajo costo y pago al contado). Su logro fue reestructurar totalmente la industria de distribución de suministros para oficina. Antes de tomar medidas, la empresa tenía una base de distribución sumamente fragmentada. Lanzó un catálogo de productos bien administrado y formó una red de centros de distribución.

• *Lexus en automóviles.* Lexus empleó siete años, $2 billones, 1 400 ingenieros, 2 300 técnicos, 450 prototipos y generó 200 patentes. Pero olvidemos las impresionantes estadísticas y disfrutemos el servicio: un buen coche y un servicio extraordinario y diferenciador.

• *AutoNation, Inc. (antes conocido como Republic Industries) en transportes.* AutoNation está sacudiendo la industria de ventas minoristas de automóviles, lo cual está suscitando una ola de reacciones entre los fabricantes de vehículos. Era dueño de 223 concesiones y sus ingresos en 1998 fueron de $13,5 billones. Es cuatro veces mayor que el siguiente grupo de concesionarios, VT Incorporated. A finales de 1996 y comienzos de 1997 compró las compañías de alquiler Alamo y National Car Rentals por $3,1 billones; además, ha comprado y asimilado cuatro compañías de alquiler de automóviles, entre ellas Value, Spirit, Snappy Rental (bajo el nombre Car Temps USA, que compite con Enterprise) y EuroDollar. Posee una cadena de supertiendas de automóviles usados, con más de 35 puntos de venta en la actualidad (entre ellos la adquisición de Drivers Mart en abril de 1998) y ventas por un valor cercano a $1,4 billones, con planes para casi duplicar esta cifra en los próximos dos años. Desde 1996, AutoNation ha aumentado sus ingresos a un ritmo superior al 200 por ciento anual.

* *Saturn en automóviles.* Con el lanzamiento del Saturn, GM se dio cuenta de que los compradores estaban cansados de los vendedores astutos de automóviles y del mal servicio que recibían por parte de muchos concesionarios. Saturn formó su propia red de concesionarios, y como resultado aumentó notoriamente la satisfacción de sus clientes y las recompras. Desechando el concepto limitado de un automóvil como un simple producto, el nuevo concepto reconoció que los clientes deseaban un paquete de servicios de transporte. El desarrollo de la marca Saturn se concentró en la experiencia de venta, el servicio y el respaldo. Se relacionó más con las personas y los procesos que con el producto. (Daewoo ha dado un paso más, eliminando enteramente la red de concesionarios. Efectivamente Daewoo está tratando de hacer para los automóviles lo que Dell ya ha hecho para los PC. Está ensayando maneras nada tradicionales de vender vehículos en los Estados Unidos y el Reino Unido.)

* *The Home Depot en productos de construcción.* Con 27 trimestres consecutivos de ventas y ganancias sin precedentes, The Home Depot ha visto subir el precio de sus acciones a un ritmo anual compuesto superior al 70 por ciento durante los últimos ocho años. Cada año abre entre 40 y 50 tiendas nuevas, a medida que se extiende a nuevos mercados geográficos como el noreste de los Estados Unidos, lo mismo que California y la Florida. Al mismo tiempo, The Home Depot ha revolucionado el mercado para constructores aficionados con una novedosa gestión de canales. Sus ventas anuales sobrepasan los $24 billones.

* *W. W. Grainger en productos industriales generales.* Grainger ofrece la comodidad de comprarlo todo en un mismo lugar para operaciones de mantenimiento interno y contratistas generales. Sus 332 sucursales con ventas de mostrador de tipo minorista ofrecen una variada serie de productos, respaldados por un catálogo de amplia distribución (que ahora se consigue en CD-ROM) y amplia publicidad. Se jacta de que sus márgenes brutos ascienden al 36 por ciento, comparado con el 27 por ciento que es el promedio para mayoristas eléctricos. Ahora está haciendo una gran incursión en el comercio electrónico.

- *Wal-Mart en el marketing masivo.* Wal-Mart reconoció que muchos consumidores desean comprar a precios moderados y recibir buen servicio y marcas de nombre. Por ello forjó "asociaciones" con empresas de productos como Procter & Gamble para la venta directa, almacenamiento y gestión de inventarios. El resultado ha sido un crecimiento enorme y rentable en el mercado masivo de mercancías que tradicionalmente ha tenido márgenes bajos.

- *General Electric en electrodomésticos.* GE Appliances vende más de 10 millones de aparatos electrodomésticos en 150 mercados del mundo, incluidas neveras, congeladores, estufas, quemadores, hornos, lavaplatos y lavadoras. Entre sus marcas se cuentan Monogram, GE Profile, Hotpoint y RCA. Su logro ha sido mantener un canal — el más pequeño e independiente — vivo y viable frente a la competencia de Circuit City y otros semejantes; lo ha hecho ofreciendo logística superior, servicio de posventa y servicio al cliente final.

- *Providian Bancorp en servicios financieros.* Providian ha formado una cartera de créditos superior a los $5 billones en escasos diez años, gracias a que comprende a sus clientes en aspectos que no se habían considerado antes y les da exactamente lo que desean. Providian puede ofrecer crédito al consumidor de uno en uno, de tal modo que cada cual tiene su tipo de interés personalizado y sus propias condiciones de amortización. Providian responde pero a la vez es proactivo, y así ha dado nueva forma a la comercialización y a la marca en el ámbito de los servicios financieros.

- *Snap-on Tools en el suministro de herramientas.* Snap-on lleva años evadiendo los canales de distribución usuales para vender directamente a sus clientes (talleres y concesionarios de automóviles) mediante flotas de concesionarios autogerenciados y sobre ruedas. Vende herramientas de alta calidad a precios superiores y desplaza a la competencia yendo al lugar de trabajo de sus clientes. Ahora está entrando en un canal nuevo, suministrando herramientas de marca particular a Lowe's, uno de los principales minoristas de los Estados Unidos.

Capítulo 2

La gestión de canales
Marco para una revolución

En la mayoría de las industrias fabriles, la distribución y el respaldo al producto siguen siendo activos estratégicos subvalorados. Esta situación cambiará pronto porque los ganadores globales en los próximos 10 a 20 años serán aquellas empresas que cuenten con las mejores organizaciones de distribución y que a la vez brinden un respaldo sobresaliente al cliente. La excelencia en la ingeniería, la eficiencia en la manufactura y la calidad están convirtiéndose rápidamente en elementos que se dan por sentados. Todos van a necesitarlos para poder jugar. Incluso, la mayoría de las empresas deficientes en estas áreas ya han desaparecido.

— DONALD V. FITES, PRESIDENTE Y DIRECTOR EJECUTIVO, CATERPILLAR

El servicio al cliente constituye el meollo de los negocios y el meollo de la gestión de canales.

Decir que la diferenciación en el servicio asume una importancia cada vez mayor no debe ser una afirmación como para sacudir al mundo, pero convertirla en una realidad cotidiana, en una estrategia de negocios que realmente se aplique, sigue siendo algo excepcional. Mucho se ha escrito sobre el servicio desde 1982 cuando Tom Peters y Robert Waterman lo redescubrieron como un elemento crítico para los negocios en su libro de gran venta *En busca de la excelencia*.

Mucho se sigue hablando, vagamente, sobre la dicha de los clientes (¡Ea!) y temas por el estilo. Ello es motivacional, y las mejores prácticas sí tienen mucho que enseñarnos, pero la superficialidad de ¡Ea! no es — y jamás podrá ser — una estrategia de negocios.

En todos los libros y seminarios, el servicio sigue siendo un elemento de los negocios mal comprendido, confundiéndose a menudo con enseñarle al personal a sonreír y decir "Que tenga buen día". Suele quedar reducido a perogrulladas y aproximaciones más sentimentales que racionales. Conceptuamos que ello es innecesario. El mismo rigor comercial y el mismo profesionalismo que antes se centraban en el producto pueden aplicarse al servicio.

Pero ello es posible sólo si se conoce bien la naturaleza del servicio. En palabras muy sencillas, un buen servicio es aquél que entrega lo que el cliente desea cuando el cliente lo desea y al precio que el cliente está dispuesto a pagar. Como bien lo señala el testimonio de muchas publicaciones y opiniones, ello no es fácil. El servicio se caracteriza singularmente por ser intangible, por la incapacidad de divorciar producto y consumo, por ser variable y perecedero. Con razón resulta escurridizo. Además, los clientes exigen cada vez más. En su libro *Up Against the Wal-Marts*, Don Taylor y Jeanne Smalling Archer llegan a las siguientes conclusiones:

Los clientes quieren valor

A los clientes les agrada tener opciones

A los clientes les encanta todo lo nuevo

A los clientes les encantan los horarios largos de atención

A los clientes les encantan los locales cómodos

Los clientes buscan la comodidad de comprar en un solo sitio

Los clientes no quieren complicaciones

Los clientes desean un toque personal y amigable en un local de compras limpio y divertido

La anterior no es una lista de deseos. Las empresas tienen que cumplir.

En respuesta, las empresas deben idearse canales que se ocupen del valor tangible. No se trata de actitudes ni de cambios superficiales. Se trata del cliente en primer lugar y del canal en segundo lugar. Se trata del valor reconocido por los clientes, no de cuánto se genere y se transfiera al canal. Un canal sin clientes es como un baño sin agua pero mucho más costoso. El mercado de abarrotes en línea, por ejemplo, sólo vale la pena si el público está dispuesto a pagarlo. No todo el mundo estará dispuesto a pagar porque otro tome su mercado de los estantes y se lo lleve. Pero si hay suficientes personas que sí lo valoran, entonces representa una mejora en el servicio.

El valor mejorado para el cliente proviene de costos más bajos o mejor servicio. Este último asume muchas formas, todas ellas sustanciales y medibles. El servicio mejorado puede medirse en términos de plazos de entrega más cortos o más precisos, servicio de posventa mejorado, mayor variedad, mejores procesos de compra y multitud de otros aspectos del desempeño.

Para el productor o el proveedor, da como resultado una mayor realización de precios, márgenes superiores y aumento de volumen.

Por tanto, y pese a lo sugerido por gran parte de los escritos sobre servicio al cliente, la atención a éste tiene que ver no sólo con la mentalidad, el cambio de cultura o la simpatía. Un proveedor solamente puede determinar las funciones del canal si antes ha resuelto cómo optimizar el valor para el cliente. El problema es que la típica interacción gira en torno a los deseos del proveedor y no del canal. Asombra ver el número de empresas embrolladas en largos y dolorosos debates internos sobre quién es su cliente, si el canal o el usuario final. Resulta fácil decir que es el primero, por cuanto sus representantes son los que se comunican más frecuentemente con el proveedor, pero ello no necesariamente es correcto. Y una vez que la relación con el consumidor se ha cedido al canal en un acto de apaciguamiento por parte del proveedor, resulta difícil recuperarla. Para un ejemplo de ello, basta ver lo sucedido con los supermercados en años recientes. El advenimiento de productos de marca propia (muchas veces fabricados por los mismos proveedores que hacen las marcas más conocidas) y los programas de lealtad de los minoristas han situado a los supermercados entre los canales minoristas más predominantes. Tienen más información que los fabricantes — no sólo sobre qué compran los consumidores sino cómo compran — y cada vez más ejercen su influencia en ámbitos como la administración de categorías. De hecho, los fabricantes han entregado poder a los supermercados.

Aparte de las luchas por el poder, la realidad es clara:

Las empresas de éxito identifican y apuntan hacia las pocas dimensiones del servicio que los clientes realmente valoran y pagan.

En cambio, las empresas que carecen de éxito suelen ser aquéllas que han gastado dinero muy ampliamente en intentos muy dispersos por mejorar el servicio. Muchas veces, lo que han hecho en esencia es sobornar a sus canales para que provean mejor servicio. Los resultados suelen ser insatisfactorios, como sucede con la mayoría de los programas de mejoramiento del servicio, porque no se ha tenido ningún efecto sobre los impulsores básicos del valor para el cliente.

Lo que suele suceder en tales casos es que los de buen desempeño en el canal se ven compensados por lo que ya están haciendo y los de mal desempeño solamente toman medidas superficiales y pasajeras para agradar a los clientes.

Por ejemplo, cierto fabricante de automóviles de lujo descubrió que su programa de incentivos financieros para motivar a los concesionarios a mejorar el servicio causaba escaso impacto sustantivo. El fabricante encontró que lo que distinguía a los mejores concesionarios era su alto desempeño en los aspectos más difíciles de la satisfacción del cliente. Entre éstos se cuentan arreglar bien el automóvil la primera vez, mantener una disponibilidad aceptable de repuestos y prestar un servicio de calidad uniformemente alta. Los incentivos financieros del fabricante tenían escaso efecto sobre los impulsores de la satisfacción. Los mejores concesionarios ya estaban esforzándose en estos aspectos, y los de mal desempeño no tenían ni el instinto ni la capacidad para alterar su conducta. Lo que hacía este último grupo al verse presionado era concentrarse en factores que eran menos importantes para el cliente. En otras palabras, la simpatía del personal de servicio no puede contrarrestar el hecho de arreglar mal el automóvil la primera vez. De nuevo, esto surge al confundir una sonrisa con el buen servicio.

La realidad es que el canal, como un todo, probablemente no hará cambios fundamentales sin una ayuda concertada y enfocada.

En este punto, los cínicos de las compañías probablemente sugerirán que aquí está la raíz del problema. La ayuda concertada y enfocada, dirán, no es barata. El cliente puede quedar más contento pero sólo a un costo adicional para la empresa ampliada, y principalmente para el proveedor. Se da por sentado que para aumentar la satisfacción hay que aumentar los servicios, y se supone que éstos costarán más, lo cual puede suceder si se trata de esfuerzos amplios y superficiales. Ahora bien, los programas de atención al cliente que se concentran en unos pocos impulsores claves del valor para segmentos selectos del mercado suelen generar grandes aumentos de eficiencia, y éstos deben, y pueden, contrarrestar cualquier costo adicional.

Por ejemplo: en 1996 Chase Manhattan Bank y Wal-Mart revelaron su MasterCard copatrocinada. Ésta atrajo un millón de clientes para cuentas en el primer año. "Tener nuestra propia tarjeta de crédito reduce nuestros costos de tramitación de tarjetas. Esto nos da otra manera de transmitir el ahorro a nuestros clientes", dijo la directora de comercialización de especialidades de Wal-Mart, Peggy Knight. La tarjeta de crédito fue una oportunidad más para ofrecer valor a los clientes.

Para dirigirse a elementos críticos capaces de generar verdadero valor, los programas de atención al cliente deben tener en cuenta los aspectos económicos. Esta información se utiliza para identificar las actividades redundantes o de escaso valor y señalar otras que ofrezcan un rédito atractivo. Como resultado, los programas bien dirigidos deben generar costos más bajos y márgenes o ingresos más altos.

EL PODER DEL CANAL

Las historias de Snap-on, Southwest y Lexus no encierran un gran misterio. Estas son empresas que han reconocido que el servicio y la gestión de canales son factores críticos del éxito. ¿Pero cómo aprovechan este conocimiento en su caso específico? ¿Cómo convierten una buena idea en resultados financieros? Como hemos señalado, los canales son la vía hacia el cliente y son la relación con éste. Para maximizar los beneficios, las empresas han de comenzar por comprender los canales. Éstos básicamente cumplen tres funciones:

* Flujo de información de proveedores a clientes finales y viceversa
* Logística para llevar los productos del proveedor al cliente final
* Servicios de valor agregado que acrecientan el producto del proveedor

El flujo de información

En general, la información mejor, de más fácil acceso y más barata produce clientes finales y protagonistas de canal más conocedores y exigentes. El flujo de información del cliente al fabricante y en dirección contraria resulta esencial para el proceso de gestión de canales. "Los negocios están cada vez más compitiendo sobre la base de la información", dice Ben Barnes, gerente general de la unidad global de inteligencia de negocios de IBM.

La información fluye esencialmente en dos sentidos. Primero, hay información de salida acerca de lo que ofrece el proveedor, por medio de la publicidad e impresos promocionales; y luego hay información de entrada acerca de las necesidades de los clientes, la cual proviene (entre otras fuentes) de encuestas sobre satisfacción de los clientes y estudios sobre el comportamiento en materia de compra y propiedad.

El flujo de información en ambas direcciones —tal como sucede con los mejores protagonistas actuales del comercio electrónico— genera mayor comprensión recíproca y, con el tiempo, un vínculo de lealtad entre proveedor y cliente que es difícil de romper.

Campeón de los canales: la singularidad de Snap-on

El servicio agrega valor y generalmente viene acompañado de una gran ventaja: es más difícil copiarlo que las características de un producto. Quizá sea posible identificar cada uno de los ingredientes de una Big Mac, pero no es fácil reproducir el servicio y la cultura que rodean el producto. Un fabricante de cámaras quizá pueda copiar con cierta facilidad alguna función novedosa introducida por un competidor, pero le resulta mucho más difícil reaccionar ante el ofrecimiento de un servicio nuevo.

Veamos, por ejemplo, el éxito de Snap-on Tools Corporation. Fundado en 1920, Snap-on inventó su propio canal para vender herramientas y equipos de alta calidad para la industria automotriz. Desde su sede en Kenosha, Wisconsin, la empresa ha forjado un próspero negocio pasando por alto los canales minoristas tradicionales. Ofrece productos de alta calidad a sus clientes por medio de concesionarios de franquicia, quienes actúan desde sus propios expendios móviles. Hoy los famosos camiones blancos de la empresa — tiendas minoristas sobre ruedas — son un fenómeno común no sólo en los Estados Unidos sino en muchos países. Bien dotados de inventario por valor de $100 000, los 5 700 concesionarios de franquicia de Snap-on conducen sus tiendas móviles hacia los concesionarios de automóviles, estaciones de servicio, talleres independientes, es decir, allí donde se encuentren los mecánicos y entusiastas de los automóviles. Los propios representantes técnicos de Snap-on conducen 325 camiones adicionales, brindando capacitación y respaldo técnico a los concesionarios en el terreno.

El modelo de negocios de Snap-on es engañosamente sencillo. Cada concesionario de franquicia es propietario de la tienda sobre ruedas y labora en su área particular de modo rotativo, de modo que los clientes saben cuándo esperar la siguiente visita. "La corporación entera se basa en una cosa", le dijo un concesionario de larga data al investigador y autor Glen Rifkin: "que todos los concesionarios se levanten por la mañana, se sienten detrás del volante y visiten al primer cliente. Todo es cara a cara, uno a uno".

La sangre que da vida a Snap-on es una relación sostenida entre el concesionario de la franquicia y su cliente. En esencia, lo que Snap-on ha creado es un canal basado en una red de relaciones personales. Lo que la empresa comprendió mucho antes que sus competidores era que sus clientes — típicamente mecánicos en los Estados Unidos y dueños de talleres independientes en Europa — no tenían tiempo para abandonar su lugar de trabajo e ir a comprar herramientas. Estaban dispuestos a pagar precios más

EMPRESA	Snap-on Incorporated	
Entre las subsidiarias se incluye	Hein-Warner Corporation	
DIRECCIÓN	10801 Corporate Drive, Kenosha WI 53141-1430 USA Teléfono: 414-656-5200 Fax: 656-5577 URL: http://www.snapon.com	
NEGOCIO	Herramientas	
ESTADÍSTICAS	Empleados	1997 11 700
	Ventas anuales (miles)	1998 $1 773
	Resultados anuales (miles)	1998 $111,9 (excluyendo cargos únicos)
	Otros datos	Snap-on comercializa sus productos en más de 150 países, a través de 6 000 concesionarios

altos con tal de tener herramientas de buena calidad entregadas a su puerta. Lo que les importaba era que pudieran confiar en la calidad de los productos que necesitaban para ganarse la vida.

Ahora bien, lo que hace eficaz el canal es la combinación de tres factores. La combinación ganadora es la calidad, más condiciones de crédito fáciles que les permitan a los mecánicos adquirir productos costosos, más el fácil acceso a las tiendas móviles y sus amables concesionarios.

Si bien Snap-on sigue dedicado a un ejército de clientes leales, sería erróneo pensar que la empresa tiene una visión anticuada. Su estrategia es edificar sobre su actual canal para convertirse en la tienda donde los mecánicos puedan conseguir de todo, donde se atiendan todas sus necesidades.

En años recientes, la empresa ha realizado varias adquisiciones para asimilar productos y conocimientos y ampliar sus capacidades en terrenos como sistemas de diagnóstico basados en software y sistemas de información gerencial. Dice el presidente de la junta y director ejecutivo de la empresa Robert A. Cornog que el objetivo ha sido integrar todas sus capacidades dentro de un solo sistema computarizado (lanzado en 1997). Snap-on va a saber mucho más que muchos fabricantes sobre los vehículos a lo largo de su ciclo de vida, y con esto va a generar valor en diseño de productos y en las operaciones de reparación.

Snap-on ya ha pasado con éxito al mercado de diagnóstico. Su gestión de canales ha resultado muy sólida. El mutuo respeto entre la empresa y sus clientes es genuino y arraigado. Ahora bien, el respeto es evidentemente algo inusual. Hasta la fecha, nadie ha logrado copiar a Snap-on con éxito.

Canales al estilo Snap-on

- *Snap-on es mucho más que producto.* Su oferta se compone de una combinación de servicios prestados mediante diversos canales. Es el individuo en el camión a quien el cliente llega a conocer. Es el crédito que suministra y que facilita el flujo de caja. Y es el producto.
- *Conócete a ti mismo.* El director ejecutivo Cornog ve la empresa como una operación minorista de categoría, disfrazada de fabricante.
- *Alta calidad del producto, alta calidad del servicio.* Snap-on ha forjado una imagen basada en la funcionalidad, la confiabilidad y la alta calidad. Para los amantes de herramientas, la marca Snap-on tiene el mismo caracter de distinción de Mercedes-Benz o Cartier. Con su imagen de excelencia sin exageraciones, es la marca elegida por el mecánico que sabe discernir y que además está dispuesto a pagar miles de dólares por las herramientas Snap-on y sus accesorios para guardar, como estuches, carritos y cajones donde se mantienen listos para usar. A la altura de la calidad están la comodidad y la confiabilidad.
- *Financiación novedosa para forjar relaciones.* Al contrario de los clientes adinerados que compran bienes de marca de lujo, como accesorios de moda y perfumes, la clientela de Snap-on se compone de obreros. Éstos se encuentran en el renglón de bajos a medianos ingresos, con limitado acceso a crédito. Consciente de ello, Snap-on ofrece servicios financieros como componente esencial de su propuesta de ventas. Sus concesionarios comenzaron a ofrecer crédito a sus clientes por allá en la depresión. Los expendedores de Snap-on siguen

concediendo crédito sin intereses en la mayoría de las ventas. Además, mediante su brazo de servicios financieros la empresa otorga préstamos para equipos más costosos. Éstos son préstamos con intereses, pero se conceden a clientes que tendrían dificultad para conseguir crédito en otra parte.

Campeón de los canales: la devoción de un director ejecutivo

Copiar la excelencia en el servicio es como tratar de copiar un dibujo de Picasso trazado con cinco líneas: fácil hasta que uno lo intenta. Podría pensarse que el caso de Snap-on es excepcional: una empresa crea un conducto nuevo y mantiene excelencia en el servicio dentro de un negocio común y corriente; los competidores no vienen corriendo porque no son muchos, para comenzar, y aun menos son los que tienen el dinero, la infraestructura y el vigor para competir con el primero en el terreno.

Lo anterior es cierto sólo en parte. De hecho, el éxito de Snap-on y el canal que creó se debe a una sana gestión gracias a la cual la ventaja se mantiene firme y no se da por sentada. Si se inventa un canal y se maneja bien, la ventaja competitiva puede resultar asombrosamente resistente. Para ayudar a demostrarlo, pasaremos ahora a una industria familiar: los viajes aéreos y el impresionante éxito de Herb Kelleher con Southwest Airlines en uno de los mercados más rapaces e intensamente competitivos del mundo.

A lo largo de 27 años, Southwest ha marcado una huella indeleble en la industria. Herb Kelleher ha demostrado que la diferenciación en el servicio es un asunto para el nivel del director ejecutivo. "Sigue siendo la aerolínea de bajo costo por la cual se juzgan todas las demás", señala el *Financial Times*. Sin embargo, si examinamos los fundamentos, Southwest no parecería tener gran cosa a su favor. Su producto, desde la perspectiva de una persona de negocios, parece inferior. No hay primera clase ni puestos asignados, cosas éstas que le importan al viajero de negocios tensionado y ansioso por sacar su computador portátil y terminar un informe durante el vuelo. No obstante, Southwest sigue captando una respetable tajada de los viajes de negocios. Sus servicios son frecuencia alta, puntualidad y buena localización. Southwest reduce el viaje terrestre de sus pasajeros volando a aeropuertos secundarios. Para muchos viajeros de negocios el valor de esta mayor certeza y del tiempo puerta a puerta reducido es enorme. Por sobre esto, está el legendario y muy mentado servicio de Southwest, forjado sobre un personal que disfruta su trabajo y disfruta ayudando al cliente. Southwest comenzó a cortejar a sus clientes — al menos los varones — con el tema del "amor" (por ejemplo las bebidas se llamaban "brebajes de amor"). Ahora lo hace mediante su promesa de "servicio positivamente inaudito".

En un negocio que resulta con frecuencia insulso, Southwest emite mensajes fuertes y sencillos a sus clientes y empleados, y ello agrega valor para ambos grupos.

EMPRESA	Southwest Airlines Co.		
DIRECCIÓN	2702 Love Field Drive, Dallas TX 75235 USA Teléfono: 214-792-4000 Fax: 214-792-5015 URL: http://www.southwest.com		
NEGOCIO	Viajes aéreos		
ESTADÍSTICAS	Empleados	1997	23 974
	Ventas anuales (miles)	1998	$4 164
	Resultados anuales (miles)	1998	$ 433
	Otros datos	SWA ha arrojado ganancias durante 25 años, sin ninguna huelga. Ofrece diariamente 2 300 vuelos a 50 ciudades estadounidenses en 25 estados.	

Dicho flujo de información se suma a la logística de la empresa para respaldarla. El tiempo de despacho de vuelos suele ser más rápido que el de la competencia — con frecuencia 20 minutos — porque hay colaboración entre el personal.

Nuevamente, no se trata de nada esotérico. Pero sí le dio a Southwest una enorme ventaja para comenzar. La empresa se inventó un canal nuevo — de pocas emociones, bajo costo, alto servicio — y como resultado se conquistó el mercado de Texas y amasó una buena pila de ganancias para ampliarse a otros mercados apetecibles como California. Ocupando ahora el séptimo lugar entre las aerolíneas más grandes de los Estados Unidos, Southwest tiene una larga historia — 24 años ininterrumpidos — de desempeño con utilidades. Inevitablemente, otros han querido sumarse al camino del éxito. United ha intentado "elevarse más alto" y la más reciente de las aerolíneas sin emociones, Go, surge de British Airways. Para darle alcance a Southwest todavía les falta mucho.

Canales de Southwest

- *Es posible ofrecer productos antiguos de modos nuevos.* El negocio de aerolíneas no es nada nuevo. Sin embargo, Southwest lo inventó como una experiencia nueva.
- *La diferenciación en el servicio es difícil de emular.* Muchos han intentado y siguen intentando igualar los niveles de servicio al cliente de Southwest; pocos o ninguno lo han logrado.
- *La excelencia constante en el servicio requiere una firme cultura corporativa.* Un período temporal de servicio brillante puede ser el resultado de enviar a algunos empleados a un programa de desarrollo. Pero sólo una cultura corporativa auténticamente centrada en el cliente puede generar una excelencia en el servicio real y sostenida.
- *Concentrarse en unas pocas dimensiones claves de la satisfacción del cliente.* En su lucha por asignar correctamente los puestos, las aerolíneas suelen olvidar que los clientes satisfechos se complacen con cosas sencillas. La reanimación de Continental bajo Gordon Bethune recibió ímpetu y rumbo por su sencilla insistencia en que los aviones fueran puntuales.
- *Concentrarse en cierto segmento del mercado.* Southwest fue la primera aerolínea que segmentó el mercado de acuerdo con el servicio. Comprendió lo que realmente deseaban sus clientes-objetivo y luego creó una organización que lo suministrara una y otra vez.
- *El servicio a los clientes es tema para la junta.* La dirección proviene de Herb Kelleher. Él mismo actúa como recuerdo viviente de la cultura de la empresa.

Campeones de los canales: la experiencia de poseer un Lexus

Lanzado en 1989, el Lexus fue recibido inicialmente como un triunfo de la imitación japonesa. Con fines de relaciones públicas, lo que se decía era que Lexus es "como ningún otro automóvil en el mundo". Los sabios de los medios de comunicación se rieron del descaro de la empresa: "El LS400 tenía 'Quiero ser un Mercedes clase S' estampado en cada panel y cada pieza", dijo cierto crítico. "Si Toyota hubiera podido colocar una estrella de Mercedes en el frente de su Lexus, habría engañado a la mayor parte del público la mayor parte del tiempo".

La realidad es más compleja. El Lexus no compitió sobre la base de similaridad del producto. De haberlo hecho, seguramente hubiese fracasado. En realidad, Toyota se entendió con algo bastante imponderable en la industria automotriz. La sabiduría imperante era que las mejores marcas tenían acaparado el extremo más costoso del mercado. La lealtad de marca para con BMW o Mercedes era muy fuerte, y todo advenedizo tenía que fracasar. Una copia directa del Mercedes no habría dado resultados, así como una copia de un Jaguar o de un BMW habría fracasado. El Lexus se parecía a un Mercedes pero Toyota le añadió todo lo que se le ocurrió a su personal. (Como señalamos antes, Toyota se apresura a recordarnos que el Lexus empleó siete años, $2 billones, 1 400 ingenieros, 2 300 técnicos y 450 prototipos, y generó 200 patentes.) Toyota efectivamente tomó las normas de calidad y las llevó hacia adelante. Corrió la arquería. Si Mercedes y BMW podían jactarse de excelencia en la ingeniería, Toyota se propuso sobrepasarlos... o al menos abrumarlos a punta de excesos. Por ejemplo, Toyota hizo mucha gala de que su auto se probó en el Japón en kilómetro tras kilómetro de carreteras construidas con esmero y que imitaban exactamente las carreteras de los Estados Unidos, Alemania o Inglaterra. Toyota incluso colocó las señales de tránsito correspondientes. Toyota facilitó la compra para sus posibles clientes. El producto se veía bueno. Exudaba calidad. Era igual, pero lo bastante diferente para justificar un examen atento. Y al principio, su precio estaba bien por debajo (en un 10 o 20 por ciento) del de la competencia correspondiente.

El producto salió airoso del escrutinio, pero el factor que le dio una verdadera ventaja a Lexus sobre sus rivales fue la experiencia de poseerlo. Aun si algo marchaba mal, el servicio resultaba excelente. Cuando cierto problema al comienzo determinó el retiro temporal del producto, Lexus hizo que sus concesionarios llamaran a los compradores inmediata y directamente. En vez de causar un efecto negativo, el retiro fortaleció el canal. Lexus tuvo un problema con su producto, como tantos otros, pero aquello que lo distinguió fue el modo directo como atendió el problema: orientado hacia los clientes.

Como una conexión exclusiva encierra la posibilidad de ganancias altas, las nuevas redes como Lexus y Saturn pueden darse el lujo de ser sumamente selectivas en la concesión de franquicias, eligiendo concesionarios que ofrezcan niveles muy altos de servicio al cliente. Ambos tienen criterios de selección extraordinariamente exigentes, especialmente en el aspecto de satisfacción del cliente. Buscan concesionarios con cierta mentalidad. A lo largo y ancho de los Estados Unidos, Lexus eligió 130 concesionarios entre 10 000 aspirantes. Para cierta área de mercado que analizó, Saturn escogió un solo concesionario entre 72 aspirantes.

Lexus hace entrevistas y encuestas con todos sus empleados. Para cada concesión, envían encuestas a centenares de clientes a fin de juzgar qué trato recibieron y cuán satisfechos se sienten. Lexus y Saturn se valen de pautas de operación y encuestas periódicas a los clientes para vigilar el desempeño de sus concesionarios comparando con criterios para la satisfacción de la clientela. Lexus y Saturno vigilan la satisfacción del cliente y entregan retroinformación mensual a los concesionarios; también tienen pautas de operación y capacitación para ayudar a los concesionarios. Un mal desempeño ocasiona visitas del personal de la fábrica para analizar el problema y prescribir remedios. Quizá lo más extraño es que ambos ofrecen sólo moderados incentivos financieros a quienes logren alta satisfacción del cliente, y no existen disposiciones contractuales explícitas sobre los niveles de satisfacción.

El mensaje es que se da por sentado que los clientes quedarán satisfechos. Ello es bueno para el negocio. Los concesionarios, por naturaleza, ven el servicio superior como una característica diferenciadora que les permite generar una gran lealtad de parte de sus clientes y un éxito sostenido.

No obstante, Lexus estuvo a punto de convertirse en víctima de su propio éxito. La nueva red de concesionarios iba sumamente bien, con márgenes muy superiores a los alcanzados por otros concesionarios. Las listas de espera para el producto eran largas. Lexus les dijo a sus concesionarios que el 40 por ciento de sus automóviles nuevos se entregarían por *leasing* y que esperaba elevar dicha cifra al 60 o 70 por ciento.

Ésa fue la buena noticia. ¿Y la mala noticia? En tres años habría un exceso de Lexus usados en el mercado. Ésta era una mala noticia para los concesionarios.

¿Quién desea un automóvil que no conserva su valor, y quién compra un automóvil nuevo cuando los de segunda mano son tan baratos? Para los propietarios, la noticia fue aun peor. En tres años sus automóviles no valdrían gran cosa.

Lexus tenía que tomar medidas ante la magnitud del riesgo del valor residual. Tenía que descubrir alguna manera de asegurar que los automóviles permanecieran bajo su control. No le convenía que los concesionarios los enviaran a subastas en masa, produciendo una abundancia de modelos usados mucho más baratos en el mercado. Ello significaría, inevitablemente, que Lexus tendría que ofrecer descuentos y todo el sistema se desbarataría. El objetivo, pues, era mejorar el valor de reventa del automóvil.

La solución de Lexus fue introducir un "Programa de Vehículos Usados Certificados" que pretendía eliminar la incertidumbre en la compra de un coche usado. (Otros habían intentado algo análogo, con resultados menos que espectaculares. Jaguar y Mercedes habían establecido programas de automóviles usados pero ninguno funcionaba muy bien.) El programa incluía publicidad para conscientización, un programa de inspección de 100 puntos ("tanto mecánicos como estéticos"), normas de reacondicionamiento, condiciones para los concesionarios (por ejemplo, no podían presentar automóviles certificados y no certificados en el mismo lote). Lexus también montó un sistema de recomercialización entre concesionarios por Internet, mediante el cual los concesionarios podían suplir los desequilibrios entre la oferta y la demanda. (En los Estados Unidos, los automóviles usados generalmente emigran del nororiente al suroccidente.) La belleza de todo aquello fue que en vez de ceder algo, Toyota logró trasladar los incentivos, creando así una situación en la cual todos salían ganando. Los precios de los vehículos usados de los clientes se elevaron, lo cual sustentaba los precios de los automóviles nuevos y los valores para Lexus. En cuanto a la creación de valor, mediante los programas de certificación de vehículos usados, Lexus y Toyota se situaron entre los primeros fabricantes de vehículos. Esta creación de valor tiene tanto o más que ver con la gestión de canales como con el producto mismo.

Canales de Lexus

- *Lexus es más que un producto.* Es toda una experiencia de propiedad. Lo que Toyota comprendió fue que vender un automóvil costoso no es vender una caja de metal. El producto es el punto de entrada a una relación con los clientes en potencia. La base de esa relación la constituye el servicio prestado por medio del canal.

- *La selección de concesionarios es clave.* Lexus contrató personas que pensaban en el servicio al cliente. No estaban simplemente deshaciéndose de sus automóviles. Por tanto, no ofreció incentivos financieros especiales para motivar a los concesionarios. Las personas o bien se inclinan o no se inclinan a comprender que un servicio realmente bueno a la clientela genera valor para clientes y concesionarios. O bien les agrada hablar con los clientes y resolver sus inquietudes y problemas, o no les agrada. No hay término medio.

Históricamente, la gestión de gran parte del flujo de información ha quedado en manos del canal. Los protagonistas en los canales han tenido el contacto más directo con los consumidores para brindar información y reunir la mejor información acerca de los clientes finales.

En la industria de abarrotes, por ejemplo, las empresas han empleado información específica de los consumidores, y siguen haciéndolo mediante iniciativas como cupones personalizados en la caja registradora. De hecho, los fabricantes suelen saber poquísimo acerca de las personas que realmente utilizan sus productos, y en consecuencia se ven obligados a tratar a los protagonistas de los canales como clientes. En muchos casos, los fabricantes sólo se dirigen a los clientes finales mediante estrategias de comercialización de amplia base como publicidad de imagen y de marca.

Veamos, por ejemplo, la modalidad tradicional en la industria automotriz, donde los fabricantes han tenido escasa interacción con los clientes. Abdicaron su responsabilidad en favor de los concesionarios y las empresas no sabían quién compraba qué, ni dónde. Cierta relación de enfrentamiento entre concesionarios y fabricantes ha empeorado las cosas. Pero la situación está cambiando.

Ahora el flujo de información es más crítico que nunca. Nuevos intermediarios con base en Internet están aprovechando la información independiente sobre productos, servicios y precios de automóviles, y esto debilita las relaciones de los fabricantes y concesionarios con los clientes. Los fabricantes de automóviles están invirtiendo millones de dólares en sistemas y procesos que les permitan conseguir más información de sus clientes y sobre sus clientes. A medida que pasamos de la diferenciación basada en productos a la basada en servicio, las empresas tienen que comprender cosas que no comprendían, o ni siquiera conocían, tradicionalmente. Más aún, tienen luego que manejar estas cosas.

Los fabricantes no pueden seguir lavándose las manos y delegando la recopilación de información. Muchos cuentan con las ventajas de escala para recopilar y emplear la información de los clientes para fines estratégicos y tácticos. Por ejemplo, la minería de datos es una técnica cada vez más importante para entender a los clientes y formar canales ajustados a sus necesidades. En cambio, los protagonistas de los canales suelen tener una perspectiva demasiado limitada y un surtido de productos demasiado amplio para formarse una idea profunda de las necesidades de los clientes en materia de productos específicos.

No es de extrañar, pues, que la observación de la clientela se haya convertido en una ciencia — y una industria. Dorothy Leonard identifica cuatro tipos de información que se obtiene observando al cliente:

• Los detonantes que mueven a las personas a utilizar un producto o servicio
• La relación entre el producto y el entorno del consumidor
• Las maneras como los consumidores personalizan el producto (y por tanto, cómo los fabricantes pueden hacer esas modificaciones por ellos)
• Las cualidades intangibles que los consumidores valoran en el producto

Lo importante no es tanto qué producto o servicio compran los clientes sino cómo compran y cómo interactúan con el producto y el canal mediante el cual se entrega. Es tal el poder de la observación que Steelcase, empresa de muebles para oficina, se valió de investigaciones mediante observación para reposicionarse como una empresa conocedora de procesos de trabajo más que como un simple fabricante.

Chrysler se valió de la observación en el desarrollo de su minivan. En vez de recurrir a la investigación tradicional de mercados, observó a las mujeres que utilizaban camionetas y encontró que se necesitaba un espacio adicional para las "madres de futbolistas" que hacían muchos viajes llevando y trayendo niños, compras diarias y equipos. Ahora Ford también está empleando una serie de técnicas de investigación de mercados no tradicionales para identificar futuras necesidades de los clientes.

Cada vez hay más conciencia de que existen incontables maneras útiles de recopilar información.

La empresa de automóviles Daewoo mantiene una base de datos de sus clientes. Cada vez que se produce un contacto con uno de ellos, se actualiza la base de datos. La empresa puede forjar una relación pese a que ha contratado el elemento tradicional de servicio a los vehículos con un tercero.

Jeffrey Rayport y John Sviokla de la Harvard Business School han analizado el desempeño de Frito Lay en este aspecto. Frito Lay se cuenta entre el creciente número de empresas que ha refinado la logística de las operaciones, y en particular de la recopilación de información hasta convertirla en un arte. "Los empleados de Frito en el terreno reúnen diariamente información sobre las ventas de los productos tienda por tienda en toda la nación y la pasan a la compañía por vía electrónica. También recopilan información sobre la venta y las promociones de productos competidores y sobre productos nuevos lanzados por la competencia en ciertos locales", informan los analistas.

"Combinando estos datos del terreno con información proveniente de cada etapa de la cadena de valor, los gerentes de Frito están en mayor capacidad de determinar los niveles de materia prima que ingresa, asignar las actividades fabriles de la empresa según la capacidad de producción de las distintas plantas, y planificar los trayectos de los camiones para lograr la cobertura más eficiente de las áreas de mercado. Siendo capaz de concentrarse en patrones de demanda locales y de responder con la promoción de ventas más acertada, la empresa puede optimizar sus márgenes continuamente frente al riesgo de inventario. En una palabra, Frito puede aprovechar la información para observar las actividades a lo largo de su cadena de valor física y reaccionar a ellas". Frito utiliza el flujo de información para asegurar que esté administrando su canal con la mayor eficacia posible.

Es evidente que la tecnología ha tenido una influencia enorme en el flujo de información. Gracias a la tecnología, las empresas pueden saber más que nunca sobre sus clientes — y viceversa. La Internet ha abierto horizontes enteramente nuevos. Jonathan Reynolds, de Templeton College en Oxford University, sostiene que para muchas empresas establecidas la primera presencia para hacer negocios en Internet puede ser de tipo puramente informativo, algo que complemente la actividad promocional actual, quizá combinando los comunicados de prensa en línea con un informe anual. Se trata de una estrategia de bajo riesgo pero de baja recompensa.

Más imaginativas son las empresas que buscan suministrar información importante para sus clientes. Inchcape Shipping, por ejemplo, suministró resúmenes de informaciones portuarias a sus clientes.

La logística

La segunda función de los canales es logística: transportar el producto y servicio al cliente, sea por vía física o electrónica. Unas empresas han estructurado sus negocios en torno a la administración eficiente de la logística, tanto hacia el cliente como de regreso a los proveedores.

Antes de que Reuters, gigante de las comunicaciones y de la información financiera, introdujera el primer sistema de transacciones electrónicas en los años setenta, este servicio — que en realidad venía a ser acceso a información financiera en línea — ni siquiera existía. La creación de este nuevo canal le dio a Reuters una ventaja competitiva en su mercado, paralela a su empleo pionero del telégrafo para transmitir noticias años atrás. Martin Davids, gerente senior de tecnología en Reuters, explica: "Nosotros llegamos adonde estamos hoy haciendo lo que nuestros clientes deseaban. Todos los grandes productos que generan todo el dinero, aparte de los productos básicos de entrega de datos, no le interesaban a nadie. Algunos dijeron al principio, respecto del nuevo sistema de transacciones, que no lo deseaban para nada. Así pues, nosotros en cierto sentido creamos mercados nuevos".

El uso del EDI

Antecesor del comercio electrónico, el Intercambio Electrónico de Datos (EDI en inglés) ya había ejercido una gran influencia en la gestión de canales. El EDI se vale de sistemas de computadores en red para conectar todas las partes de la cadena de valor. Así, por ejemplo, se puede crear un conducto de información eficiente que vaya entre proveedores, fabricantes y minoristas. Ello permite reducir la ineficiencia antieconómica en la gestión de inventarios, pedidos, despachos y facturación.

El EDI permite que minoristas o distribuidores coloquen pedidos directamente dentro del sistema del fabricante. Esto reduce los costos administrativos y reduce los niveles de inventarios generales en el sistema. Como el minorista-distribuidor tiene que integrar sus sistemas con los del fabricante en cierta medida para que el EDI funcione, también genera costos de computación para el minorista-distribuidor, lo cual redunda en beneficio del fabricante.

Más allá de lo anterior, los sistemas de EDI también significan que se pueden utilizar datos oportunos y precisos para mejorar la toma de decisiones y para vigilar la conducta y los patrones de compra de los clientes.

El EDI también se utiliza para acercarse más a los clientes. Ha cumplido un papel esencial en el movimiento de Respuesta Eficiente al Cliente (ECR en inglés). La junta ejecutiva de ECR Europa, compuesta por un grupo de minoristas y fabricantes importantes, entre ellos Tesco, Safeway, Nestlé, Unilever y Procter & Gamble, predice que la aplicación de la ECR en Europa podría generar ahorros en la cadena de suministro de abarrotes equivalente a una reducción promedio del 5,7 por ciento en los precios. Esto, según piensan, puede lograrse mediante su aplicación en ocho aspectos:

- Alta precisión de barrido
- Pedidos automatizados de las tiendas
- Reposición continua
- Promociones optimizadas (basadas en información correcta sobre clientes)
- Planificación de surtidos
- Operaciones confiables
- Producción sincronizada
- Proveedores integrados

Uno de los pioneros del EDI fue Wal-Mart. A finales de los años ochenta, los abastecedores de Wal-Mart, como Wrangler y GE, estaban empleando sistemas de inventario administrados por los proveedores para reponer las existencias en las tiendas y almacenes de Wal-Mart. Valiéndose de aplicaciones tecnológicas de informática como lectores de barrido en las cajas registradoras, Wal-Mart puede conocer ahora en detalle los hábitos y preferencias de sus clientes. Tal información pasa por el canal a los proveedores, a quienes se les dice qué producir, en qué cantidades y a dónde despacharlo. Más de 3 500 abastecedores de Wal-Mart tienen acceso en línea a la información sobre sus productos que se encuentra en la base de datos de Wal-Mart y pueden analizar los patrones de compra.

Resultado de lo anterior es una gran reducción en el almacenaje y los inventarios, gracias a lo cual la empresa puede aprovechar el 10 por ciento de su espacio disponible para almacenamiento, comparado con el 25 por ciento que es el promedio de sus competidores. "Cada costo se analiza atentamente cada vez, lo cual permite tomar mejores decisiones en materia de marketing diariamente", dice Randy Mott, vicepresidente senior encargado de sistemas de información.

Wal-Mart está utilizando software de minería de datos para detectar patrones en sus 2 400 tiendas estadounidenses. El objeto, según Rob Fusillo, director de sistemas de reposición, es administrar los inventarios "tienda por tienda, como si [cada tienda] fuera su propia cadena exclusiva". De hecho, Wal-Mart posee el banco de datos más grande del mundo, con la impresionante suma de 24 terabytes.

El proceso de recopilación de información comienza en el punto de venta. Wal-Mart capta la información sobre transacciones en el punto de venta en cada uno de sus expendios y la pasa por su red hasta el banco de datos en su sede de Bentonville, Arkansas. La información se cuestiona, si es necesario, y se analizan las tendencias de ventas por producto y por tienda. De este modo la empresa puede tomar decisiones, entre otras, sobre reposición, tendencias de compra de los clientes, tendencias de compra por temporadas. El objeto es llevar los productos que son a la tienda que es en el momento oportuno. "Nuestra estrategia de negocios descansa sobre datos detallados en cada nivel", dice Randy Mott.

Al final de cuentas, lo importante es qué se hace con la información obtenida. Aunque abunde la información, ello no implica que las organizaciones necesariamente hagan buen uso de ella una vez recopilada. Los estimativos varían, pero algunos sugieren que los negocios sólo emplean entre el 7 y el 10 por ciento de los datos que han acumulado. Más es mejor, sólo si arroja más conocimiento que permita tomar decisiones mejores. Está viéndose un aumento notorio en la función de los más avanzados sistemas de respaldo a decisiones impulsados por datos y modelos analíticos.

De hecho, lo que hizo la empresa fue crear un canal enteramente nuevo para la entrega de su producto — información — y nuevas maneras de que lo utilizaran los clientes en las salas de transacción.

La logística comprende ahora el empleo eficiente de información hacia y desde clientes y proveedores. En el Japón, 7-Eleven se ha convertido en el minorista más grande del país gracias a la tecnología de recopilación de información empleada para producir un sistema de logística eficiente. Pocos minoristas pueden igualar su celo analítico. Cada tienda — y de éstas hay más de 6 800 en el Japón — tiene su computador de punto de venta conectado con la sede principal. El computador le suministra al gerente de la tienda datos sobre ventas, tendencias demográficas e incluso pronósticos meteorológicos. Se espera que el gerente utilice todas las herramientas analíticas a su alcance, y quien no lo haga recibe una amistosa advertencia de la empresa.

Los productos se dividen por ejes de distribución en cuatro categorías según la temperatura y se entregan en horarios que van de tres veces diarias para comidas rápidas básicas hasta una vez por semana para enlatados. Ello reduce de aproximadamente setenta a sólo diez diarios el número de despachos a cada tienda, calculados éstos para enviar suministros de comidas que se mueven rápidamente justo antes de comenzar los períodos de demanda pico.

Un aspecto vital de la función logística de los canales es la gestión eficiente de los inventarios. Según un estudio de *Harvard Business Review*, el costo de mantener el inventario un año equivale por lo menos a la cuarta parte del precio que pagan los minoristas por el producto. Como resultado, la reducción del inventario en cuantía correspondiente a dos semanas representa un ahorro de casi el uno por ciento de las ventas.

El control de inventarios, como hemos dicho antes, es un aspecto en el cual sobresale Dell. Su aprovechamiento eficiente de la tecnología para reducir inventarios le ha permitido crear un modelo de negocios nuevo. El método de Dell para vender a clientes individuales y fabricar productos a la medida ha llegado a conocerse como el "modelo directo". Es una forma de lo que Michael Dell llama "integración virtual" y reúne los beneficios económicos de dos modelos de negocios muy diferentes. Ofrece las ventajas de una cadena de abastecimiento estrechamente coordinada, que se habían logrado tradicionalmente mediante la integración vertical. Al mismo tiempo, se beneficia de la concentración y la especialización que impulsan a las empresas de un solo producto.

"Cuando la compañía comenzó, creo que no sabíamos cuán lejos nos podría llevar el modelo directo. Ha provisto una estrategia de base constante para Dell pese a los muchos cambios en nuestra industria. Al mismo tiempo, hemos aprendido mucho y el modelo ha evolucionado", dice Dell. "Más importante aún es que el modelo directo nos ha permitido aprovechar nuestras relaciones tanto con proveedores como con clientes en tal medida, que me parece acertado considerar nuestras empresas como virtualmente integradas".

La gestión de inventarios es esencial para la modalidad de Dell. Sabiendo compartir información con eficacia, Dell ha podido reducir los componentes almacenados a un inventario de escasos 11 días. Los niveles de inventario y las necesidades de reposición van comunicándose constantemente. Algunos proveedores están en comunicación con Dell cada hora. Según Michael Dell, el reto principal es dejar de pensar en *cuánto* inventario hay para pensar en *cuán rápidamente* se está moviendo. "En nuestra industria, si logramos que se piense en el ritmo de movimiento del inventario, entonces creamos valor real. ¿Por qué? Porque si tengo 11 días de inventario y mi competidor tiene 80, y sale Intel con un chip nuevo de 450 megahertz, esto significa que yo llegaré al mercado 69 días antes".

Dell no es el único. En una industria enteramente diferente, distribución de productos eléctricos, Houston Wire & Cable, HWC, ha forjado una capacidad de logística dominante que abastece una línea de productos concentrada. HWC ha llegado a ser el líder nacional en la distribución de alambre y cable en los Estados Unidos. Almacena 50 000 unidades de inventario (*Stock-Keeping Units* —SKU—) de alambre y cable mientras que un típico distribuidor de productos eléctricos mantiene unos 20 000 productos individuales SKU en multiplicidad de líneas. Las capacidades de HWC en materia de ventas y logística están específicamente adaptadas para atender a su mercado particular. Hay un sistema de gestión de inventarios en tiempo real que es lo más avanzado del momento, con toma de pedidos las 24 horas del día e índices de despacho de pedidos inigualados. Avanzados sistemas unen la empresa con los proveedores y clientes por vía electrónica y conectan los diferentes locales de HWC. Además, los vendedores saben exactamente cuántos metros de alambre hay en cada rollo y reciben bonificaciones especiales por vender el final de un rollo. Los clientes de HWC y los usuarios finales tienen acceso a un extenso respaldo técnico.

El resultado de estas iniciativas diversas es que HWC ha logrado un crecimiento del 15 por ciento anual con un margen de operación superior al 9 por ciento (rédito sobre ventas (ROS) superior al 5 por ciento) y un rédito de 2,5 sobre el haber (ROA), desempeño éste muy por encima de prácticamente todos los demás en la industria.

Los servicios de valor agregado

La función final de los canales es proveer un mercado para servicios que se agregan al producto o servicio básico ofrecido. Éstos asumen ahora incontables formas, entre ellas venta local, financiación, personalización y partes y servicio de posventa.

Casi todo producto o servicio viene acompañado de una multitud de servicios de venta y posventa. Y ello no se limita a ciertos negocios.

HWC, por ejemplo, vende el servicio de manejo de cables: administra todo lo que el cliente necesita en materia de cables para un proyecto. Minimiza los desechos y vuelve a comprar las porciones no utilizadas.

New Pig Corporation en Tipton, Pennsylvania, fabrica absorbedores industriales. Sus productos absorben grasa y derrames en las fábricas. La empresa cuenta más de 300 empleados y ventas previstas de $77 millones para 1998, y está creciendo a un buen ritmo anual del 10 por ciento.

El éxito de New Pig se basó inicialmente en la marca y en los productos novedosos. Antes que existieran los rollos de espuma absorbentes, los derrames solían tratarse virtiendo arena encima, con lo cual se formaba un lodazal pero no se resolvía el problema.

El rollo de espuma sí lo resolvía. La empresa creció rápidamente.

Una hábil combinación de productos de calidad y la marca del chanchito ha traído las ganancias desde entonces. Ha transformado lo que habría sido una insulsa firma de limpieza en un fenómeno del liderazgo. La empresa reconoce sin ambages que no hay nada especialmente talentoso ni estratégico en su nombre, su marca ni su fórmula para los negocios. Toma productos nada atractivos pero sí útiles y les agrega un toque de humor porcino.

Veamos un típico producto de New Pig — una alfombra absorbente que se coloca alrededor de una máquina para limpiar los derrames. En las hábiles patitas de New Pig, se convierte en algo mucho más interesante: la alfombra Ham-O-Pig, con todo y alegre diseño de chanchitos, un lema ("Fuerte como pellejo de chancho") y un simpático dibujo de un chanchito vistiendo overoles. "No hay ningún mercado del mundo donde a la gente no le agrade reírse y divertirse y sentir que la tratan como cliente importante", observa el cofundador de la empresa y presidente de su junta, Ben Stapelfeld.

New Pig parecía estar haciéndolo todo bien. Crecía en forma sostenida y figuraba entre las empresas privadas de más rápido crecimiento. Pero no todo marchaba bien. "La vida era maravillosa, pero andábamos tan ocupados haciendo lo necesario que no pensamos en hacer lo que debíamos estar haciendo. Estábamos trabajando mucho pero nos faltaba astucia", dice Ben Stapelfeld. "Nos demoramos mucho para darnos cuenta de que éramos un jugador grande en un mercado de $250 millones". El problema no reconocido era que el mercado de New Pig se limitaba al área de manufactura, que estaba decayendo rápidamente. La empresa era hábil para vender productos y lo hacía con éxito, pero el mercado parecía limitado y el potencial de crecimiento futuro, restringido.

Entonces la empresa se detuvo a analizarse. Conceptuó que sabía prestar un buen servicio al cliente. Luego llamó a unos consultores, quienes observaron que New Pig sabía medir diversos aspectos de su propio desempeño — cuántas veces sonaba el teléfono antes de contestarlo — pero no sabía escuchar lo que era importante para los clientes.

Como resultado, New Pig está poniendo menos énfasis en la venta de productos y más en la oferta de soluciones y en el establecimiento de relaciones con los clientes. Alastair McSkimming, de la operación de New Pig en el Reino Unido, explica: "Hay un tono jocoso, pero nuestros productos resuelven los problemas de la gente. Por eso, ahora estamos dando información sobre seguridad y normas técnicas y realizamos evaluaciones del local. Estamos allí no para hacer una venta sino para ayudar a los clientes a resolver problemas". Ben Stapelfeld afirma: "Se trata de mantener limpias las fábricas. Éste es un mercado gigantesco, no de $250 millones. Estamos cambiando la definición de lo que somos".

Los servicios de valor agregado pueden tomar forma de entretenimiento, cosas que aparentemente distraen de la experiencia principal pero que, sin embargo, le agregan valor real a la experiencia. Desde sus primeros días, la empresa sueca de muebles IKEA reconoció la importancia de la gestión de canales y se esforzó mucho por crear un paquete de servicios de valor agregado en torno a sus tiendas que se adecuara a su filosofía rectora. Escogiendo locales fuera de la ciudad para sus operaciones con el fin de mantener bajos sus costos, la empresa confía en que sus clientes estén dispuestos a viajar hasta sus tiendas. Edificando sobre su primera experiencia en Suecia — cuando una visita a una tienda IKEA podía ser viaje de un día — IKEA se propone hacer de las compras no un deber sino una experiencia agradable. Esto le ha dado éxito al trasladar su fórmula a los Estados Unidos, empeño en el cual muchos minoristas europeos han fracasado.

Sven Kuldorf, vicepresidente de IKEA de Suecia (parte del grupo IKEA) explica: "La única manera de conservar al cliente a largo plazo es que derive algún beneficio de venir hasta IKEA. La calidad del producto y el precio que proponemos han de ser lo mejor. Decimos, incluso, que tenemos que tener mejores precios que la competencia como uno de nuestros principios de operación. Ello es fundamental para nuestro éxito a largo plazo".

Si bien la diferenciación basada en productos se considera como el fundamento del negocio, más interesante es el edificio construido sobre tal base. Se trata de un negocio estructurado no en torno a productos en sí sino en torno a una experiencia única de compra. "De allí decimos: ¿cómo podemos convertir un visita a IKEA en un paseo? IKEA debe ser un paseo. Así comenzó aquí la primera tienda en Almhut", dice Sven Kuldorf. "Antiguamente, para venir a nuestra tienda había que salir temprano por la mañana. El tiempo de viaje para un cliente era de dos horas en promedio, y muchos de ellos tenían niños pequeños. Por tanto, hemos montado guarderías [para atender a los niños de los clientes] desde hace mucho tiempo, e instalaciones para los niños. Y luego tenemos los restaurantes. Consideramos que los precios deben ser muy favorables para que las familias con hijos pequeños puedan darse el lujo de comer allí y no tengan que traer emparedados. No debe haber motivo para que salgan de IKEA sólo porque tienen hambre. No tenemos espectáculos todos los días, pero los sábados o domingos muy frecuentemente traemos un payaso o algo así". La *experiencia* es el fuerte de IKEA. El servicio es lo que distingue una estantería de otra.

EL PROCESO DE GESTIÓN DE CANALES

Creemos que ha habido un traslado importante del poder. Los canales cobran cada vez más importancia. La forma en la cual las empresas administran sus tres funciones claves — flujo de información, logística y servicios de valor agregado — es crucial.

Ante dicho traslado del poder, los proveedores de productos y servicios tienen varias reacciones posibles:

Primero, pueden optar por no hacer nada. Con ello, los canales ganadores aumentarán sus márgenes y su control a expensas de los proveedores y de los canales perdedores. No es una opción.

Campeones de los canales: el servicio de Saturn

Agregar valor no es simplemente añadir unos cuantos extras en la periferia. El automóvil Saturn es un excelente ejemplo de cómo el énfasis ha pasado del valor tangible basado en atributos del producto, a una diferenciación "blanda" basada en el servicio. También es una lección de cómo los servicios de valor agregado pueden alterar fundamentalmente la relación cliente-proveedor.

Saturn se lanzó en 1990 y fue el primer auto de nuevo nombre en GM desde el Chevrolet. El vehículo mismo es bastante espartano. Lo que más persuade es que el Saturn está respaldado por una excelente red de concesionarios que ofrecen ventas realmente diferenciadas, sin regateo, así como servicio de alta calidad. (Tan inconstantes eran las normas en el negocio de automóviles, que el lavado y el préstamo temporal de automóviles eran joyas en la corona de servicio del Saturn.)

Saturn ha planteado lo que llama sus "principios para la determinación de precios". "Sin molestia significa que los minoristas de Saturn exponen de una vez todos los elementos del precio de un vehículo. No hay cargos ocultos ni añadidos a último momento. No guardamos el as en la manga. Sin regateo significa que el minorista debe ceñirse al precio que ha fijado. En la filosofía de Saturn no hay lugar para la discusión. Ningún cliente debe preguntarse jamás si el próximo cliente del minorista conseguirá un precio mejor 'negociando más duro'".

Saturn demuestra el empleo del servicio como diferenciador de un producto que

EMPRESA	Saturn Corporation	
DIRECCIÓN	1420 Stevenson Hwy., Troy, MI 48083 P.O. Box 7025, Troy, MI 48007 Teléfono: 248-524-5000 URL: http://www.saturncars.com/index.html http://www.gm.com/	
NEGOCIO	Automóviles	
ESTADÍSTICAS	Empleados	1998 9 600
	Otros datos	Saturn es subsidiaria de General Motors

no se distingue en sí. De nuevo, es una diferencia que los competidores no han logrado copiar con éxito hasta ahora.

Nada de lo anterior sucede por accidente. Como ya hemos señalado, el desarrollo de la marca Saturn se concentró en la experiencia de compra, el servicio y el respaldo, es decir no en el producto sino en las personas y los procesos.

Según investigación de J.D. Power, las tres marcas de automóviles que muestran la mayor satisfacción de sus clientes en los Estados Unidos son Lexus, Infinity y Saturn. El común denominador es que los tres tienen nuevas redes de concesionarios diseñadas, desarrolladas y administradas con un intenso empeño por brindar un servicio excepcional y sostenido al cliente.

En 1996, Saturn fue clasificado como el mejor automóvil entre todas las marcas en cuanto a satisfacción general con la venta. Ocupó el séptimo lugar en satisfacción del cliente; los seis primeros eran todos autos de lujo que ofrecían muchísimo más en materia de recompensas al conducirlos: Lexus, Infinity, Acura, Mercedes-Benz, Cadillac y Jaguar.

Los clientes incluso le dieron a Saturn calificaciones altas por el servicio que recibían cuando la empresa hubo de pedir la devolución de sus autos por algún defecto.

Esto debe compararse con los problemas que ha tenido GM en otras partes con los concesionarios vendedores de varios de sus modelos. En 1995 el vicepresidente de GM, Ronald L. Zarrella, escribió a 8 500 concesionarios señalando, un poco tarde, que sus automóviles no eran productos básicos y que GM no quería que los ofrecieran a la venta al lado de marcas de la competencia. Era significativo que mientras existen 8 500 concesionarios de GM en los Estados Unidos, hay 17 000 franquicias. Un concesionario puede tener hasta seis franquicias funcionando en el mismo local. Los concesionarios de Saturn no tienen tales complicaciones. Su énfasis en el trato sincero y el servicio de valor agregado sigue siendo distintivo.

Canales de Saturn

- *Más allá de los productos.* En realidad, Saturn no es sólo un automóvil. Es un servicio de transporte de poca molestia. Hay poca molestia al comprarlo, poca molestia para mantenerlo. El producto no es único. Escasamente se distingue de la masa de automóviles que se ofrecen.
- *Compra amable.* La estrategia de ventas le brinda al cliente una experiencia amable de compraventa. La política de precios sin regateo y la garantía de devolución del

dinero son apenas una parte de ello. La red de concesionarios de la marca fue enteramente nueva. Pero lo que muchos no mencionan es que la mayoría de los concesionarios tienen otras concesiones. Ahora están adecuándose a las normas de Saturn. Se trata de hacer lo sensato y de hacerlo bien.

- *Venta de la imagen.* El punto focal es vender la imagen de la empresa en vez de presionar la venta de un automóvil como en otras empresas. Como parte de ello, la fuerza de ventas de Saturn realiza llamadas de seguimiento a los clientes nuevos para contestar preguntas y asegurar que estén satisfechos.
- *No saturación.* El concepto de áreas de mercado evita la proliferación de concesionarios y limita considerablemente la competencia en línea, gracias a lo cual puede hacerse realidad la política de precios sin regateo.
- *Capacitación e incentivos.* Existe el compromiso de invertir en los empleados mediante capacitación e incentivos. Cada empleado recibe 170 horas de capacitación al año, instrucción impartida por todos los ejecutivos, entre ellos el director ejecutivo. La meta explícita es ofrecer remuneración justa y fuertes incentivos para los empleados.
- *Más allá de las ventas.* Los vendedores asalariados de Saturn se llaman "consultores de ventas". La empresa contrató consultores de ventas ajenos a la industria para minimizar lo que consideraba "malos hábitos".
- *Sistemas de operación que brindan servicio.* Se pone mucho énfasis en el servicio eficiente y avanzado, en el cliente y en los procesos y sistemas de gestión de los concesionarios. El objetivo es formar un sistema de gestión de la cadena de abastecimiento a la vez integrado y eficiente para los automóviles y repuestos, sistema que vincule a los proveedores, la fábrica y los concesionarios.

Como alternativa, los proveedores pueden concentrarse en mejorar sus fuentes de poder tradicionales. Ésta es una acción típica pero costosa y a más largo plazo. Además, trae consigo peligros cada vez mayores. Para ganar, quizá un producto bueno no baste o no sea sostenible. Por otra parte, el intento de reforzar la atracción de una marca quizá no sea factible económicamente, y una base instalada grande decrece con el tiempo a medida que la va socavando la sustitución de productos. Puede convenir una línea de productos amplia, pero los protagonistas de canales fuertes sacarán del paquete aquellos productos que impliquen una desventaja.

La última opción es desarrollar canales nuevos y mejorar la gestión de canales, adquiriendo incluso capacidades empresariales ampliadas para servir mejor a los clientes finales. Dichas capacidades deben tratar de aprovechar las ventajas de escala y alcance. Por ejemplo:

- Inventarios agrupados
- Inventarios administrados por proveedores
- Administración de categorías y administración de surtidos
- Administración de exhibiciones
- Comercialización con base de datos de marketing — perfiles detallados de los clientes
- Administración de promociones
- Sistemas de penetración de mercados y rentabilidad de la clientela
- Gestión de múltiples canales
- Manejo de pedido a entrega

Estas diversas iniciativas pueden ser formidables en sí. Para imprimirles coherencia, se precisa comprender la gestión de canales no como una iniciativa aislada sino como un proceso. El proceso de gestión de canales se compone de los cinco pasos descritos en la segunda parte.

El proceso de gestión de canales

En esta parte trataremos el proceso de gestión de canales como un todo. Los pasos básicos son cinco:

1. *Comprender los segmentos y las necesidades de los clientes en materia de compra y propiedad.*

El paso de operaciones centradas en el producto a una eficaz gestión de canales es sustancial. Elemento clave para ello es entender más claramente dónde se agrega valor para el cliente en la cadena de abastecimiento. El proceso de gestión de canales comienza por identificar a los clientes finales y reunir información sobre la relación actual y posible con ellos.

El objetivo es entregarle al cliente final el paquete producto- servicio acertado y al precio correcto. La única vía para que ello suceda es conocer al cliente. Las empresas automotrices en particular han encontrado que el mejor conocimiento de los procesos de compra les permite identificar nuevas oportunidades para agregar valor. Ello tiene implicaciones importantes para el equilibrio del poder entre fabricante y canal.

El conocimiento de los clientes se basa en la interacción con clientes actuales y potenciales, y en la recopilación de datos relacionados con ellos. Con base en tal información, las empresas pueden dirigirse a determinados grupos de clientes con el objeto de prestar los elementos de servicio que ellos valoran. Además de la segmentación de mercados con base en productos, la diferenciación basada en servicios exige que las empresas segmenten los mercados por compra y propiedad.

2. *Formular nuevos conceptos de canal para captar valor tanto del cliente como del ciclo de vida del producto.*

El objetivo de la segmentación es que una empresa pueda diseñar diversos paquetes de atributos de productos y los correspondientes servicios que respondan mejor a las necesidades y deseos de diferentes grupos de consumidores. Para ser rentables, tales paquetes deben optimizar el valor dado a cada segmento de clientes y sin embargo entregarse económicamente. Un conocimiento profundo de los clientes puede facilitar el desarrollo de segmentos de a uno. De hecho, los canales son un medio para individualizar el servicio masivo.

3. *Hacer pruebas piloto para refinar la economía y el posicionamiento competitivo de los conceptos relacionados con los canales: estructuras, servicios y sistemas de operación.*

Trátese de un canal enteramente nuevo o de una red que se ha desarrollado cuidadosamente, la modalidad que recomendamos es efectuar pruebas piloto antes de lanzarse. Las pruebas piloto del nuevo canal permiten refinar la economía y el posicionamiento competitivo de los conceptos del canal: estructuras, servicios y sistemas de operación. En una situación ideal, las pruebas piloto se aíslan del negocio principal hasta donde sea posible. El objeto es principalmente minimizar el riesgo y refinar los conceptos antes de hacerlos extensivos. Dicha prueba debe realizarse en la periferia de los mercados a fin de minimizar las reacciones de los competidores hasta que el modelo de negocios que se pretende desarrollar esté ya robusto.

4. *Extender los conceptos rápidamente por diferentes segmentos y territorios geográficos.*

Una vez refinada la oferta del canal, la velocidad resulta esencial. Los cambios deben extenderse rápidamente. Al abrir un nuevo canal, una empresa puede transformar el mercado si se adelanta a los competidores. Ello resulta especialmente cierto cuando el resultado final es una relación personal de uno a uno con el consumidor final.

5. *Estudiar los resultados y adaptar el canal.*

Un canal eficaz provee comunicación de dos vías con el cliente. Esto nos permite estar atentos a lo que el cliente requiere y modificar la oferta de servicios de los canales conforme a tales requisitos. Si no se hace, aquello que el canal puede ofrecer se irá socavando con el tiempo. La gestión de canales es un proceso continuo.

Capítulo 3

Primer paso:
Entender las necesidades
de los clientes

Los precios de cada vehículo Saturn se determinan mediante
decisiones separadas de tres interesados independientes: Saturn
Corporation, el minorista y el cliente.

— Principio de determinación de precios de Saturn

La atención al cliente suele brillar por su ausencia.

Investigaciones en Inglaterra, por ejemplo, mostraron que menos
del 25 por ciento de los ejecutivos les daban importancia a las horas pasadas
con los clientes. Al mismo tiempo, siete de cada diez proclamaron que la
preocupación por el cliente ocupaba el primer o segundo lugar en orden de
prelación para el éxito de la organización. Abundan las ideas erróneas sobre
el servicio al cliente, o bien dicho servicio se aplica mal y se administra mal.
A veces repele por lo excesivo. Otras veces no existe. (Resulta tan inútil
abrumar al cliente de atención como atenderlo muy poco. El servicio excesivo
añade costos sin agregar valor.)

Sin duda, la prestación de un servicio es exigente. "Mientras que los
bienes se producen primero, luego se venden y por último se consumen, los

servicios se venden primero y luego se producen y consumen simultáneamente. Como los consumidores tienen que estar presentes durante la producción de dichos servicios, aunque sea por vía telefónica o electrónica, hay una interacción más estrecha entre comprador y vendedor", dicen los académicos europeos Leslie de Chernatony y Francesca Riley. "El grado de interacción y de participación del consumidor hace más difícil controlar la calidad del servicio. A veces las marcas de las organizaciones de servicio se encuentra a merced de un personal de servicio al cliente malhumorado, disgustado o simplemente ineficiente. Por otra parte, la experiencia del cliente puede verse afectada por un sinnúmero de factores imprevisibles, como un caudal de clientes aumentado, mal ambiente en la sucursal o incluso el estado de ánimo del cliente mismo. Al involucrar eficazmente a los clientes en el proceso de producción, las organizaciones se colocan en una situación de alto riesgo pero de posibles altas ganancias día tras día a medida que los clientes viven nuevamente una experiencia con la marca".

En forma análoga, si los canales no se están reinventando, van perdiendo eficacia. Si se comienza un diálogo con los clientes, más vale escuchar lo que dicen y obrar en consecuencia.

Encima de la complejidad de prestar un servicio excelente — o quizá a causa de ella — la superficialidad y la palabrería son endémicas. Mas resulta sorprendente lo poco que se dice acerca del problema esencial que afrontan muchos ejecutivos: cómo asegurar que sus clientes finales reciban el servicio acertado al precio adecuado.

Parecería una pregunta sencilla de responder. El problema es que las empresas de fabricación y servicio ejercen un control escaso o limitado sobre el servicio que recibe el consumidor final. Por lo menos la mitad de los artículos, y una buena parte de los servicios, fluyen por canales de distribución. Sin embargo, la mayor parte de lo escrito sobre atención al cliente — y es mucho — o bien trata de los servicios prestados directamente a los clientes (por aerolíneas, bancos, hoteles, etc.) o bien simplemente evade las complejidades del servicio prestado por intermediarios.

Con el paso de los años, muchos fabricantes han abdicado su responsabilidad en materia de relaciones con los clientes en favor de expendios minoristas y canales de distribución. Los fabricantes suelen pensar en los minoristas o los distribuidores como sus clientes y se han dedicado a maximizar las ventas a ellos. Esto se llama *recargar el canal* y se logra, entre otras cosas, ofreciendo descuentos por compras a granel. Tal estrategia puede ocasionar efectos imprevistos, entre los más notables de los cuales se hallan las grandes acumulaciones de inventario en el canal, lo cual lleva a un patrón intermitente de pedidos, pago de incentivos por ventas, y por último, fabricación ineficiente o índice alto de devoluciones del producto. Los fabricantes entendidos lo han reconocido así y ahora están comenzando a estructurar incentivos basados en la venta del producto al usuario final y no en las compras para inventario.

Muchos fabricantes han preferido mantener a la clientela consciente de su marca mediante publicidad general, mientras ceden el contacto cotidiano a los concesionarios y otros protagonistas del canal. Es una jugada peligrosa. Genera distancia entre el usuario final y el fabricante, distancia que se multiplica cuando el fabricante llega a considerar que su cliente no es el usuario final sino el protagonista del canal. Varias industrias han visto surgir una brecha entre productores y usuarios finales. El intermediario tiene en sus manos el buen nombre del fabricante. Si un cliente compra un Volkswagen a un concesionario, la experiencia VW se compone tanto del desempeño técnico del automóvil como del servicio que recibe. El elemento de servicio, por ser el elemento humano, suele ser el más importante. El empleado que recibe el automóvil para servicio se convierte en el rostro de VW aunque no sea empleado de la empresa. VW tiene su propia caja de ahorros. ¿Para qué? Para generar oportunidades de ligar al cliente con la empresa y con la marca.

El nuevo reto para las empresas es cerrar esta brecha pensando más allá del canal. Los fabricantes de productos han de pensar no sólo en su propia economía al fabricar y vender el producto, sino también en la economía de sus distribuidores o minoristas e incluso en la economía del usuario final del producto.

Las razones de ello quedan claramente ilustradas con otro ejemplo. Piénsese en el valor creado — el dinero gastado — a lo largo del ciclo total de compra y propiedad de un automóvil. Mirando con los ojos del fabricante, de un 50 a 60 por ciento del valor corresponde al costo de piezas que este compra a sus abastecedores, de un 20 a 30 por ciento corresponde a mano de obra, de un 10 a 15 por ciento a SG&A y de un 0 a 5 por ciento corresponde a ganancias. En otras palabras, el valor agregado por el fabricante es el 40 por ciento del precio mayorista del automóvil.

Ahora bien, desde el punto de vista del comprador del automóvil, se agrega otro 30 por ciento o más una vez que el vehículo ha salido por la puerta del fabricante y dos a tres veces este monto en transacciones subsiguientes realizadas por el propietario del automóvil sin ninguna participación del fabricante —ni necesariamente del concesionario (financiación, seguro, mantenimiento, costos de operación).

Desde el punto de vista del propietario del vehículo, es claro que el fabricante es sólo uno entre varios protagonistas que influyen en la calidad de su compra y su experiencia como propietario. El fabricante sólo ejerce control directo sobre la cuarta parte del valor total entregado al cliente durante la vida del automóvil.

Lo anterior resulta inconveniente por dos razones. Primero, implica una oportunidad desaprovechada. Evidentemente, si el fabricante pudiera controlar una mayor parte de la corriente de valor, podría realizar más ganancias. Además, al perder todo contacto con el cliente en el punto de venta, el fabricante pierde muchos de los posibles beneficios que se derivan de las relaciones con él: la oportunidad de aprender gracias a la retroinformación que éste le proporciona, para no mencionar la ventaja en la próxima venta de un automóvil al mismo cliente. La gráfica 3.1 muestra la influencia del canal sobre las decisiones en materia de nuevas compras.

En segundo lugar, puede implicar un riesgo real a la imagen de la marca del fabricante. Al fin y al cabo, el automóvil lleva el nombre del fabricante aunque sean muchos los aspectos de calidad percibida sobre los cuales ejerce poca o ninguna influencia.

Gráfica 3.1. Poder de los canales: efectos de la satisfacción con el concesionario

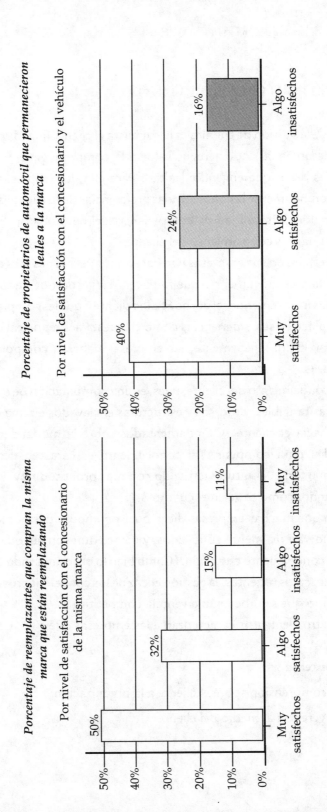

Porcentaje de reemplazantes que compran la misma marca que están reemplazando

Por nivel de satisfacción con el concesionario de la misma marca

Porcentaje de propietarios de automóvil que permanecieron leales a la marca

Por nivel de satisfacción con el concesionario y el vehículo

Fuente: Adaptado de J. D. Power & Associates, 1993, *New Car Customer Satisfaction Index Study*

EL EMPEÑO POR CONOCER AL CLIENTE

La esencia de la gestión de canales es llegar hasta el cliente final de modo tal (a través de un canal) que agregue valor a la compra y genere negocios repetidos, es decir, que engendre lealtad. Para ello, las empresas han de conocer profundamente la conducta y las preferencias de su clientela. Tienen que comprender la totalidad de la experiencia del consumidor. Es lo que nosotros llamamos conocimiento del cliente.

En el pasado, las empresas han basado sus decisiones más en lo que hacen los clientes que en el porqué lo hacen. La gestión de canales exige ahondar más hasta entender el porqué de los clientes: qué les complace y qué no les complace en sus experiencias como clientes. Para reunir tal información y aprovecharla eficazmente, las empresas deberán comportarse de modos nuevos.

El conocimiento del cliente, pues, es una combinación de destrezas, herramientas tangibles, procesos y estructuras enclavados en una "cultura orientada hacia el cliente" y fundamentados sobre la modalidad que la empresa elija para competir. Tal conocimiento es característico de las empresas que forjan el futuro actuando con más prontitud hoy, y las está transformando, como se ve en el cuadro 3.1.

Aunque muchas empresas dicen que son impulsadas por los clientes, pocas logran realmente conocerlos, y menos aún son las que pueden convertir el conocimiento en acción. (Como bien lo proclama toda una serie de libros y artículos recientes, la gestión eficaz de los conocimientos consiste en convertir lo que se sabe en una ventaja competitiva.)

Cuatro elementos caracterizan a las empresas que sí lo hacen:

* Interfaz externa

   Traer la comprensión sobre el cliente a la organización.

   Sacar la gerencia al medio del cliente.

Cuadro 3.1. Cambios en las empresas que saben conocer al cliente

	De	*A*
Alcance	• Decisiones del cliente	Experiencia del cliente
Límites	• Mercados para el producto	Valor para el consumidor
Proyección	• Predecir el futuro	Comprender el "aquí y ahora"
Concentración	• Tendencias	Oportunidades
Investigación	• Respaldar decisiones	Construir el conocimiento del cliente
Investigación de mercados	• Poseer la información	Poseer los procesos de mercados
Pruebas de mercados	• Demostración	Experimentación

- Procesos internos

    Convertir la información en conocimiento de parte de la gerencia y de toda la empresa .

    Difundir la comprensión sobre el cliente por toda la organización.

- Organización y cultura

    Optimizar el conocimiento y la difusión de lo conocido.

    Motivar y premiar a fin de generar un enfoque sobre el cliente.

    Proveer una infraestructura de respaldo — capacitación, reclutamiento, medición del desempeño.

- Acción con conocimiento

    Convertir el conocimiento del cliente en el punto de partida de los procesos esenciales.

    Integrar el conocimiento del cliente dentro de los sistemas y la infraestructura de los procesos.

La realidad es que las empresas líderes demuestran una cultura enfocada en el cliente en todos los niveles. Cambian continuamente — y el cambio es de arriba hacia abajo, de afuera hacia adentro, de adentro hacia afuera — y forjan procesos formales para crear una cultura y sustentarla. El resultado final es el círculo virtuoso que se presenta en la gráfica 3.2. El conocimiento del cliente les permite generar ideas acordes con sus necesidades, inquietudes y aspiraciones. Luego estas ideas pueden desarrollarse, comercializarse y evaluarse, de modo que contribuyan nuevamente a un mayor conocimiento del cliente.

Gráfica 3.2. El círculo virtuoso del conocimiento del cliente

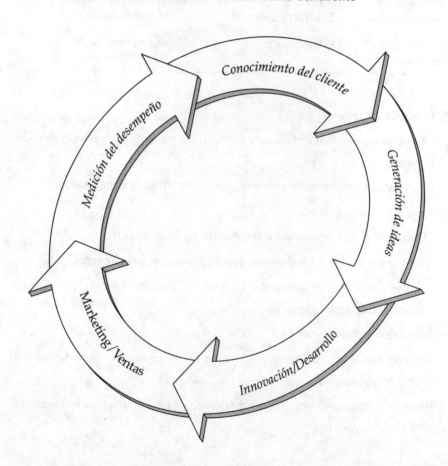

Éste se basa fundamentalmente en el acercamiento a los clientes. Históricamente la información llegaba por una tubería estrecha. Ahora las empresas reciben información de banda ancha proveniente de muchas fuentes — foros de consumidores, programas de lealtad, sucesos patrocinados. (Las posibilidades se presentan en la gráfica 3.3.) Gracias a los avances tecnológicos que hacen más accesible la información, las empresas tienen muchas oportunidades para aprovechar su conocimiento del cliente final. Algunos mensajes serán contradictorios, pero nadie dijo que esto sería fácil.

Cuando una empresa abre las ventanas hacia los consumidores, puede formarse una idea más profunda de toda la experiencia del consumidor, basándose en una síntesis de datos *duros* y *blandos* provenientes de muchas fuentes. Unas ventanas son espontáneas, otras interactivas, y otras se basan en una vigilancia sistemática. Mediante procesos formales, la información y el conocimiento percibidos se difunden lo más ampliamente posible por toda la organización, integrando al consumidor dentro de la modalidad de negocios de la empresa.

La información ya no se distribuye sólo a quienes "necesiten tenerla". La alta gerencia y las gerencias distintas de la de comercialización reciben información actualizada periódica. Las organizaciones aprovechan mejor la distribución electrónica de datos. El conocimiento aumenta cuando información de nuevos tipos se intercambia de maneras más participativas y a menudo más informales. Ahora bien, ello precisa un cambio de papeles.

El papel de la investigación de mercados, por ejemplo, deja de reducirse a simples datos para convertirse en difusión de *información* sobre los consumidores. Llega a ser uno de los muchos ejes que permiten llegar al consumidor en vez de adueñarse de él. En última instancia, el flujo de información tiene que asegurar que el consumidor:

- Le dé forma al temario de la gerencia
- Alimente su diálogo
- Motive a la organización

Gráfica 3.3. Modos de escuchar al cliente

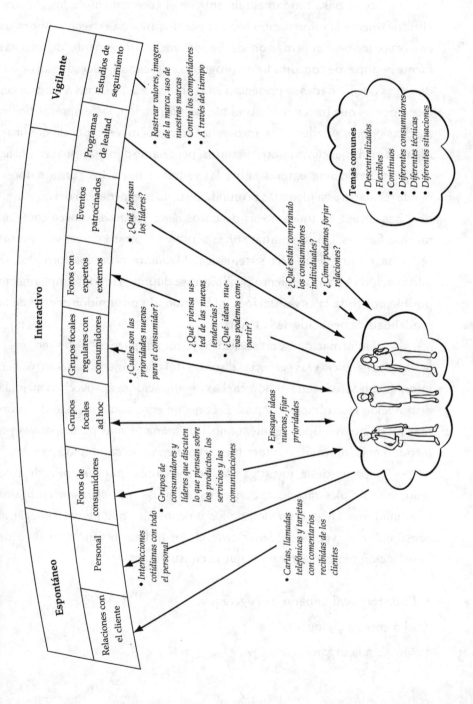

COMPRENSIÓN DE LOS DATOS

Para comprender a los clientes, es preciso reunir, entender y asimilar información y datos sobre ellos.

En Bank of America, los gerentes tienen acceso al banco de datos de los clientes. Empleando el perfil y las conductas de clientes individuales (respuestas a ofertas de comercialización anteriores), los gerentes pueden identificar aquellos productos que el cliente probablemente deseará y ofrecerlos de una vez, antes de que el cliente salga del banco.

En British Airways, la aerolínea cuenta con software que le permite conceder a los pasajeros de primera clase, clase de negocios y viajeros frecuentes todas sus preferencias en materia de vuelos — desde bebidas hasta diarios y películas — sin que el pasajero tenga que pedirlas.

Momentos de verdad

Una modalidad para ir conociendo las necesidades de los clientes se basa en lo que Jan Carlzon, exjefe de SAS, llamó *momentos de verdad:* la secuencia de transacciones críticas en cada etapa del ciclo de propiedad o utilización.

- Contacto inicial
- Primer uso
- Resolución de problemas
- Respaldo continuo
- Compras adicionales
- Recomendaciones a otros

La clave para entender la conducta del cliente puede hallarse en la evaluación de la medida en que la satisfacción y el valor se ven afectados en estos puntos del ciclo y cómo varían por tipo de cliente.

Un ejemplo interesante del análisis de momentos de verdad lo ofrece la industria de servicios telefónicos celulares, donde la mayor parte de los consumidores tienen una sola interacción con el canal, en el momento de la venta original. En los Estados Unidos, la alta satisfacción con esta experiencia de ventas inicial asume una importancia crítica. Se traduce en una asociación más duradera con el proveedor del servicio (es decir menos volubilidad de los clientes) y éste es el principal factor determinante de la rentabilidad de los clientes. El nivel de satisfacción depende de cuán bien el conducto de ventas explique las características y los cargos por servicio y cómo prepara al cliente dándole las expectativas apropiadas.

Ahora bien, lo anterior no ha de aplicarse con demasiada amplitud. Cierto fabricante de automóviles encontró que una importante fuente de insatisfacción de los clientes con el proceso de compras podía superarse si el personal de ventas del concesionario explicaba cuidadosamente las funciones de operación y los indicadores del tablero de instrumentos. Infortunadamente, el fabricante no comprendió que si bien tal servicio gustaba a unos clientes, a otros les molestaba tener que soportar una sesión de demostración obligatoria que consideraban fastidiosa y superficial. El error fue tratar a todos los clientes igual. Tales políticas estandarizadas de servicio al cliente son endémicas en la industria automotriz y otras industrias minoristas. El factor de irritación se habría eliminado simplemente preguntándole al comprador si una demostración le agregaría valor o no.

Campeones de los canales: el mundo de Armstrong

Armstrong World Industries reconoció que sus minoristas clave, los grandes almacenes de materiales para refacción de casas, eran un canal emergente y de rápido crecimiento. El crecimiento dentro de dicho segmento era enorme. Pero al irse madurando la oportunidad, Armstrong no estaba seguro de cómo aprovecharla. Un análisis del mercado de tales tiendas de materiales para refacción de casas en los Estados Unidos en 1966 mostró oportunidades de ventas permanentes. La totalidad del canal minorista de materiales para refacción de casas valía unos $140 millones. Se preveía un crecimiento anual constante superior al 25 por ciento. Al mismo tiempo, se preveía que los tres protagonistas principales — Home Depot, Lowe's y Menard's — seguirían aumentando su participación a expensas de otras tiendas de materiales para la casa y que crecerían a un ritmo superior al 20 por ciento anual, pasando del 25 por ciento al 40 por ciento del mercado de materiales para refacción de casas. Se proyectaba que el número total de estas tiendas llamadas "de cajas grandes" aumentaría hasta aproximadamente 2 700 en cinco años, es decir un aumento del 66 por ciento en comparación con 1995.

Al irse caldeando la competencia, Armstrong pensó que bastaría con rebajar sus precios. No creyó que el mercado de tiendas de materiales para refacción de casas valorara el servicio. Sin embargo, un análisis adicional reveló que el servicio era un factor diferenciador importante. Armstrong determinó, pues, que debía realizar esfuerzos vigorosos en este canal.

Armstrong quería formular una estrategia para administrar y atender activamente a sus clientes más grandes. Los clientes identificaron varias áreas clave importantes y los correspondientes requisitos necesarios para salir adelante en cada área. En cuanto a ventas, los clientes buscaban un proveedor con un solo rostro, responsabilidad y autoridad plenas y directas, incentivos relacionados con el desempeño de la cuenta y personas facultadas para tomar decisiones. En el aspecto de servicio en el almacén buscaban capacitación, nuevos surtidos de tiendas, cambios grandes de surtidos, ayuda en marketing y reposición, así como ayuda para reclamos y solución de problemas. En cuanto a logística, buscaban un 100 por ciento de despacho de pedidos sin agotamiento de existencias, alta rotación de inventarios, servicios eficientes (a bajo costo) y ciclo de entrega máximo de siete días. En lo que respecta a administración de categorías, los clientes buscaban programas flexibles e individualizados, productos exclusivos e información fidedigna. En cuanto a transacciones, querían un solo punto

EMPRESA	**Armstrong World Industries, Inc.**	
DIRECCIÓN	2500 Columbia Avenue, P.O. Box 3001, Lancaster, PA 17604 USA Teléfono: 717-397-0611 URL: http://www.armstrong.com	
NEGOCIO	Materiales para refacción de casas	
ESTADÍSTICAS	Empleados	1998 18 900
	Ventas anuales (miles)	1998 $2 746
	Resultados anuales (miles)	1998 $ 221 (excluyendo cargos únicos)
	Otros datos	Es líder en material para pisos residenciales y comerciales, productos para instalación y mantenimiento de pisos, productos para paredes y cielorrasos acústicos y gabinetes

de contacto, procesamiento e intercambio electrónico de información, facturación correcta y oportuna y entrega cumplida de la información.

En respuesta, Armstrong desarrolló capacidades que le permitieron ofrecer un rostro al cliente. Trabajó en dos aspectos específicos: gestión de inventarios en el local (corregir el almacenamiento de baldosas rotas, rotar las existencias, capacitar al personal), y suministro de recursos de computador valiéndose de datos del punto de venta. Como resultado, la rotación de inventarios subió notoriamente.

En un empeño por brindar servicios de alta calidad a sus cuentas nacionales grandes y crecientes, Armstrong estableció la división de Cuentas Minoristas Corporativas (CRA en inglés) en abril de 1994. Tal idea reflejaba la decisión de aumentar su tajada del mercado en todos sus negocios creando capacidades nuevas y mejorando servicios que por muchos años se prestaron mediante la organización de ventas a cuentas nacionales. CRA es una organización centrada enteramente en el mercado, concentrada no en productos ni en procesos fabriles sino en las necesidades de un grupo específico de clientes.

Los clientes de CRA son minoristas grandes con muchos locales que venden múltiples productos corporativos en el mercado residencial y comercial de Norteamérica. Las ventas a este grupo de clientes alcanzaron una nueva marca anual en 1994. Más aún, las ventas para cada mes sucesivo de 1994 establecieron una nueva marca mensual. La estrategia de comercialización de CRA busca convertir a la empresa en el proveedor preferido de sus clientes tanto en estas categorías como en cualquier otra categoría de productos ofrecidos por la corporación. El hecho clave para alcanzar tal posición es que la división expuso una propuesta de valor superior para sus clientela, basada no sólo en los productos sino también en estrategias de marca, marketing y servicio en la tienda, respaldo informativo y sistemas logísticos. En una palabra, CRA está cumpliendo sus propios objetivos de ventas e ingresos maximizando las ventas e ingresos de su clientela. La meta antigua de CRA era brindar un servicio individualizado y de alta calidad a los minoristas de "cajas grandes" (segmento que venía creciendo a ritmos de dos dígitos y que era el punto de enfoque de CRA, pues le correspondían el 12 por ciento de las ventas de Armstrong).

Un objetivo principal fue elevar la eficacia en cuanto a costos de logística. Para ello, se planificaron 15 centros de diferenciación regionales independientes para atender a estos clientes. Dichos centros ofrecían a la clientela la tramitación centralizada de los pedidos así como despachos coordinados. Armstrong preveía que el mejoramiento logístico le ahorraría costos — en especial, los despachos de camiones llenos y reducción del papeleo administrativo en el trámite de pedidos.

Otra meta de CRA fue mejorar el margen bruto de rédito sobre la inversión de sus minoristas. Una de las funciones principales del grupo fue cumplir las exigencias en materia de servicios de los minoristas gigantes como Home Depot y Lowe's. El respaldo individualizado se tradujo en ayuda con el marketing y exhibición de las mercancías, capacitación para los empresas de las tiendas y respaldo a los sistemas de logística e información.

El enfoque de "gestión total de categorías" de Armstrong incluía programas de diferenciación para los minoristas de cajas grandes; por tanto, se les suministraban aquellos productos y servicios que impulsan el valor para sus clientes. Armstrong trabajó con los clientes para determinar sus necesidades e identificar las mercancías acertadas de entre sus productos para pisos, cielorrasos, instalación y aislamiento.

También comenzó a ofrecer consejos sobre marketing y la combinación acertada de productos, a dar capacitación en las tiendas y a estructurar los procesos de pedidos y facturación para adaptarlos a las necesidades de cada minorista. Con inversiones en tecnología, mejoró sus procesos generando información basada en hechos y específica para los clientes; gracias a ello, Armstrong pudo responder mejor a las exigencias de sus clientes. Algunos elementos clave fueron coordinar despachos de múltiples productos, programar entregas semanales y simplificar los procesos de abastecimiento.

Durante 1996, la división dio muchos pasos adelante en el mejoramiento de estas capacidades, y todo ello le ayudó a acrecentar su negocio en un 17 por ciento. Las ventas de productos de baldosa para uso comercial y residencial aumentaron en un 31 por ciento y un 19 por ciento respectivamente, gracias en parte a la estrategia de segmentación comenzada hacia finales de 1995, la cual suministraba productos exclusivos y submarcas a minoristas exclusivos.

Para finales de 1996 la clientela de caja grande de CRA comprendía 1 600 tiendas minoristas que compraban muchos de los productos para pisos, cielorrasos, instalación y aislamiento. Armstrong preveía que dicha clientela aumentara a aproximadamente 2 300 tiendas para el año 2000 por concepto de clientes actuales y nuevos.

Las ventas a clientes de CRA en 1994 batieron marcas en todas las categorías de producto de la empresa. El programa de CRA generó casi $330 millones en ventas, o sea el 12 por ciento de las ventas totales de la empresa, con menos de $50 millones en gastos no fabriles. Las ventas de CRA aumentaron en más de un 20 por ciento en 1995, muy por encima del aumento global de ventas de la empresa, que fue alrededor del 4 por ciento, y correspondió a un 18-20 por ciento de las ventas totales de material para pisos y productos de construcción de la empresa.

En diciembre de 1996, Armstrong declaró que el programa de CRA era un éxito. Dicho programa se había convertido en parte integral del negocio de la empresa. Las ventas de Armstrong a los minoristas de caja grande correspondían al 16 por ciento de sus ventas totales en 1996; habían aumentado en un 17 por ciento desde 1995, convirtiéndose en el sector de más rápido crecimiento en la empresa.

Merece destacarse el aumento sólido de este negocio en 1995, año en el cual muchos proveedores del canal en cuestión sufrieron menoscabo de sus ventas debido a una corrección de inventarios que estaba realizándose. Las ventas a Cuentas Minoristas Corporativas crecieron en un 18 por ciento en 1996 y se elevaron aun más rápidamente a comienzos de 1997. Para 1998 Armstrong arrojó un aumento de $35,9 millones en cuentas por cobrar, y declaró que uno de los motivos principales del aumento había sido un alto nivel de facturación relacionado con CRA.

Canales de Armstrong

- *Desarrollar sistemas de información.* Al desarrollar sistemas para vigilar de cerca la venta de productos individuales de sus clientes en todas las categorías de la empresa, CRA brindó a Armstrong y a los equipos subsidiarios de las unidades de negocios información basada en hechos, así como datos de mercado para identificar oportunidades y requisitos de los clientes, guiar el desarrollo de productos nuevos y acortar los tiempos de ciclo. Con su organización de ventas y servicio centrada en los mercados, y con sus sistemas de diferenciación e información especializada, CRA está en capacidad de generar un volumen de ventas inmediato para productos nuevos, incluso categorías de productos que son totalmente nuevos en Armstrong.

- *Cambiar con el negocio.* Una de las claves para el resurgimiento fundamental de Armstrong ha sido su adaptación al cambio grande surgido en los patrones de diferenciación de los materiales de construcción. Las grandes cadenas de tiendas de materiales para la refacción de casas están suplantando gradualmente a los minoristas tradicionales, a los almacenes de madera y especialmente a los distribuidores. La operación CRA de Armstrong, que ofrece un paquete integrado de productos y servicios a estos minoristas de caja grande, ha sido una de las unidades de mayor crecimiento en la empresa. Para atender a estos clientes, cuenta con cinco centros de diferenciación regionales.

El análisis detallado de datos sobre los clientes permite que las empresas se dirijan a clientes nuevos específicos de modo más eficiente y con mayor eficacia en cuanto a costos. "Nuestro éxito dependerá de que comprendamos exactamente lo que el cliente desea", dice Malcolm McDonald, presidente y director ejecutivo de Signet Bank.

Primero está la cuestión de costos. El uso eficaz de datos ayuda a reducirlos. Analizando los patrones de conducta de la clientela y aplicando modelos predictivos, Capital One Financial ahorró $280 millones. Si una empresa cuenta con datos suficientes, puede localizar a sus clientes más eficazmente, dirigiéndose a los clientes en potencia que ya estén predispuestos a comprar el producto. La recopilación y análisis de datos también le ayuda a atender a los clientes más rápidamente con menos transacciones, lo cual reduce los costos y los tiempos de ciclo.

Si conocemos a nuestro público-objetivo, podemos dirigirnos a él por medios que resultan mucho más eficaces que la comercialización masiva. Una vez separados los clientes rentables de los no rentables, se pueden enfocar mejor las actividades.

Pizza Hut encontró que los usuarios frecuentes tienen un valor de $600 por año, y ahora se dedica a atraer y retener a dichos consumidores. Pitney Bowes encontró que las dos terceras partes de su negocio provenían de menos del 10 por ciento de sus clientes. Incluso McDonald's tiene sus "usuarios super frecuentes" (SHU, por su sigla en inglés).

Dell utiliza datos para identificar a los clientes no rentables que deben tacharse de su lista de correo directo. Esto le ahorró $4 millones de dólares en un solo año. MBNA aplica modelos que se valen de los hábitos y tendencias de compras de sus clientes para identificar a los que serán rentables. La empresa excluye los no rentables de sus esfuerzos de comercialización, mientras que dirige promociones y campañas más grandes hacia los clientes rentables. MBNA multiplicó sus ganancias por un factor de 16 reduciendo su tasa de deserción a la mitad del promedio de la industria e identificando a los clientes que probablemente serían rentables.

Cuanto más se sepa sobre los patrones de conducta de los clientes, mejor se puede responder a los detalles sutiles en la conducta y las preferencias de éstos. El modelaje predictivo permite prever la conducta de los clientes y tratar de manejar las tendencias a medida que se presentan. Ello también ahorra dinero. USAA hace hincapié en el hecho de forjar relaciones vitalicias, lo cual le permite encontrar clientes nuevos con poco esfuerzo. No se necesita una comercialización costosa y agresiva cuando se sabe lo que está ocurriendo en la vida de los clientes potenciales. La hija quinceañera de un cliente de USAA recibirá información sobre cómo aprender a guiar automóvil justo cuando tenga edad para tomar clases de conducción.

Sears, por ejemplo, encontró que en sus tiendas las mujeres compraban con más frecuencia que los hombres. Pudo modificar su comercialización para hablar más directamente a las mujeres mediante la campaña de "El lado más suave de Sears". También se valió de la conducta de compra de sus clientes para rastrear todas las ventas y determinar cuáles están comprando con frecuencia y cuáles no. Luego la empresa promociona su mercancía según la frecuencia de las compras. Sears emplea datos para estar seguro de ajustar sus surtidos de conformidad con las necesidades de los clientes. Valiéndose de datos para seguir los sucesos de la vida, la empresa puede observar las tendencias en los hábitos de compra.

La empresa que lleve atentamente la cuenta de los datos sobre el cliente, ya goza de una ventaja. Entre otras cosas, esta comprensión le ayuda a atraer clientes nuevos que actualmente no están comprando ningún producto ni servicio. De hecho, puede adelantarse al proceso de toma de decisiones y generar aspiraciones antes de la compra. Caterpillar perfeccionó un modelo que le permitió utilizar su base de datos sobre hábitos de compra, necesidades y otra información pertinente a fin de saber qué personas no clientes podrían convertirse en clientes.

Por otra parte, armados con los datos correctos podemos dirigirnos eficazmente hacia los clientes de nuestros competidores. Jaguar envía abundante material por correo a personas que compran o alquilan modelos competitivos, ofreciéndoles incentivos tales como plumas Montblanc para animarlos a ensayar sus automóviles.

Los datos sirven ante todo para generar relaciones más estrechas y duraderas con los clientes actuales. Ciertos estudios han demostrado que una reducción del 2 por ciento en los índices de deserción tiene el mismo efecto final de un recorte del 10 por ciento en los costos. Esto genera un aumento de ingresos con reducción de costos, arreglo virtuoso que encierra varios elementos:

• *Conociendo bien a cada cliente, la empresa puede predecir qué productos adicionales éste podrá necesitar o desear.* 1-800-Flowers reúne información sobre fechas especiales, por ejemplo cumpleaños y aniversarios de sus clientes. Al acercarse la fecha, envía recordatorios, sugiriendo que ha llegado el momento de enviar flores o alguno de los otros productos de la empresa. Las ventas cruzadas — mediante productos complementarios o suplementarios — se facilitan muchísimo. United Auto diseñó una campaña de "compra tras compra" que aprovecha información basada en las ventas a los clientes para dirigirse a aquéllos que puedan estar interesados en productos que complementen los ya adquiridos.

Cuando se conoce mejor a los clientes, se hace posible prestarles un servicio más constante y de mejor calidad. Norwegian Cruise Lines dejó de recurrir a envíos masivos por correo. En su lugar, diseña una experiencia de crucero específica basada en grupos de clientes con perfiles similares.

La información sobre clientes es un haber en poder de la empresa, e imitarlo puede tomar meses o aun años. Si mientras tanto se va acrecentando la lealtad de los clientes, éstos pueden llegar a sentir que necesitan el producto. Ello se refuerza mediante recordatorios sobre el producto, contacto personal continuo, trato especial y servicios relacionados con el producto vendido. Los dependientes de las tiendas de Nordstrom toman nota de las "buenas" selecciones de los clientes. Cuando llega un artículo preferido por el cliente, el dependiente llama personalmente para informarle de la llegada.

Sabiendo lo que el cliente necesita, y reajustada la oferta de productos o servicio conforme a este conocimiento, se puede lograr un incremento en las visitas de clientes a la tienda— reforzadas por promociones adicionales, ofertas individualizadas y programas de usuarios frecuentes. MCI examinó los patrones en su base de datos de clientes y encontró que un buen número de hogares acostumbraba efectuar llamadas de larga distancia a un máximo de 12 hogares más. En respuesta, creó su programa "Amigos y familiares".

No se precisa ser un gigante multinacional para conseguir resultados fantásticos con promociones inspiradas en datos. Cierta cadena de 12 restaurantes con 450 000 clientes registrados en su Club de Cumpleaños envió una saludo postal a cada uno. Ello generó más de 400 000 visitas de clientes y ventas superiores a $3,1 millones.

De modo análogo, una cadena de siete restaurantes envió 40 471 tarjetas de cumpleaños, recibió 34 832 visitas, 13 071 bonos redimibles y $288 mil en ventas. Otra oferta especial en temporada de fiestas generó 9 391 visitas adicionales, con $76 mil en ventas.

· · ·

La siguiente pregunta es: ¿Qué hacen las empresas concretamente para recopilar datos? Emplean un millón de recursos. Muchas aprovechan sus datos para dirigirse a nuevos clientes específicos con la mayor eficacia en cuanto a costos:

- Bank of America analiza los hábitos de gastos y las respuestas a ofertas promocionales anteriores de sus 75 millones de clientes para determinar si vale la pena continuar sus esfuerzos de comercialización y, en caso afirmativo, qué ofertas específicas serían indicadas y cuándo deben dirigirse a determinado individuo.

- US West, la empresa de telecomunicaciones, determina qué parte del presupuesto de telecomunicaciones de un cliente le corresponde actualmente y luego decide si vale la pena continuar sus esfuerzos de comercialización.

- 3Com utiliza un envío postal masivo para reunir información sobre las necesidades de sus clientes y sus hábitos en materia de uso de computadores. Como resultado, envía promociones dirigidas a los posibles clientes de alta calidad.

- Reader's Digest recibe información inicial sobre sus clientes de los registros electorales y de firmas dedicadas a la recopilación de datos. Luego se dirige a los clientes potenciales adinerados, bombardeándolos con envíos por correo.

- American Express se vale de datos sobre la conducta en materia de compras para determinar las preferencias de sus clientes. Basándose en tales preferencias, adjunta ciertas promociones a sus facturas. También puede saber los gastos acumulativos de cualquier tarjetahabiente. Esto ayuda a los minoristas a puntualizar qué clientes utilizan más sus tarjetas Amex y en qué momentos hay más compradores.

El objeto de tanta recopilación y análisis de datos es tratar de forjar relaciones con los clientes que den por resultado ingresos mayores con costos menores. En una palabra, el objetivo es formar una relación vitalicia con el cliente a fin de suministrarle los productos y servicios de la mejor calidad posible, de la manera más eficaz y eficiente.

COMPRENSIÓN DE LA LEALTAD

Armados con un buen conocimiento de los clientes y basados en datos sobre las preferencias y la conducta de éstos, conviene detenerse a reflexionar sobre lo que significa la lealtad.

En los negocios, la lealtad es cada vez más escurridiza. El servicio distingue. El servicio excelente suele basarse en fundamentos muy sencillos: cumplir con el número relativamente pequeño de cosas que los clientes desean y valoran. El problema es que nuestra época es una en que los clientes tienen cada vez más opciones y más poder, y donde los segmentos de la clientela están fragmentándose. Los consumidores son más caprichosos que nunca. Ya no se puede contar con la lealtad al producto. Las personas que parecen más contentas con el producto pueden cambiar. Tan es así, que el término lealtad suele ser erróneo. Los viajeros de negocios más frecuentes se mantienen "leales" a tres planes diferentes de viajero frecuente en promedio, fenómeno éste que se repite en una serie de productos tan diversos como ventas minoristas de gasolina y café. "La lealtad exclusiva no es la norma sino la excepción. Las razones son prosaicas. En el caso de aerolíneas, determinada empresa quizá no tenga la ruta deseada. Para abarrotes, quizá la marca preferida de un cliente no se encuentre en existencia o no se destaque en los anaqueles; o tal vez el cliente deseaba un cambio, o pudo haber alguna promoción especial", señala Mark Uncles de la University of Western Australia.

La base de la lealtad no es necesariamente de índole puramente económica. La lealtad y el éxito en los negocios no se reducen a lograr que la gente vuelva a comprar el producto. Las personas vuelven a comprar los servicios de ciertas empresas de servicios públicos todos los meses pero siguen firmemente descontentas. De igual manera, los clientes pueden actualizarse cada vez que Windows saca una versión nueva aunque parezcan tener un vínculo limitado con Microsoft.

Creemos que existe un *continuum* de lealtad que se mide por el sobreprecio (o margen de utilidad bruta) en una coordenada y por la lealtad en la otra, tal como se indica en la gráfica 3.4.

El eje de la lealtad comienza con la lealtad económica. Ésta, en la práctica, suele comprarse como precio descontado. De hecho, prácticamente no es lealtad. Los consumidores se irán sin mayor dificultad, como se evidencia en las compras de productos básicos—cualquier lechuga o cualquier ganchito para papeles sirve — y allí donde hay pocas empresas entre las cuales escoger, v.g. si comprar pollo en KFC o en Boston Market, si comprar atún de marca Bumble Bee o de marca Chicken of the Sea.

Gráfica 3.4. Precio frente a lealtad

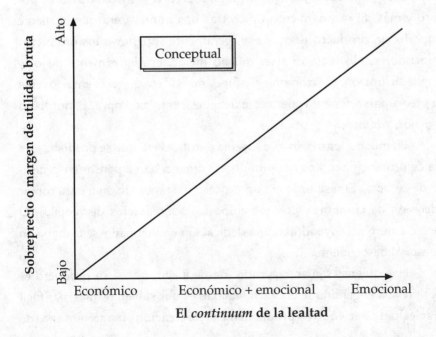

El *continuum* de la lealtad

Ascendiendo por la escala, la lealtad va aumentando a medida que los factores económicos se combinan con otros emocionales. Dicha etapa encierra impulsores psicográficos fuertes — por ejemplo la familia, el deseo de pertenencia, la independencia — e incluye productos como Apple Computers, Michelin, Marlboro y Coca-Cola.

Al final se llega al extremo principalmente emocional, donde la lealtad es absoluta. Aquí podrían incluirse causas políticas, la religión y la familia. Se tiene la sensación de pertenencia. Se tiene la sensación de que uno ha sobrepasado las expectativas del cliente, que ha hecho un esfuerzo grande por suplir sus necesidades. Aquí existe una verdadera relación; ciertos estudios han demostrado que los clientes que tienen más relación con determinada empresa se inclinan menos hacia los competidores.

El sobreprecio aumenta hacia la derecha del *continuum* hasta que se acaba pagando por el derecho de ser leal, por ejemplo por amor a la patria o a la familia.

Evidentemente, lo anterior es un clavo más en el féretro de la diferenciación basada en productos. La superioridad incremental de producto e imagen no basta para justificar un sobreprecio sostenido del 25 por ciento y más. El razonamiento típico tras una compra era que el cliente compraba un producto porque era ligeramente superior a los productos competidores. No tenía que ser mucho mejor. Era ligeramente mejor y cumplía su función. El razonamiento fundamental era que el cliente no tenía que preocuparse ni pensar para tomar su decisión de compra. El producto era mejor. Y punto.

En muchos casos, lo que sucedía entonces era que se producía una serie de promociones. Los consumidores comenzaban a pensar en la decisión de compra. El resultado era un proceso bastante racional para tomar la decisión de compra, y con el tiempo los sobreprecios disminuían. El proceso entero no engendraba una dedicación emocional, y se trababa en una espiral descendente.

Hay quienes siguen creyendo, desde luego, que si su producto es superior, va a engendrar lealtad. La realidad es que si bien resulta más fácil lograr lealtad ofreciendo un producto mejor, la creación y mantenimiento de productos realmente superiores resulta difícil. Exige ingentes inversiones en investigación y desarrollo y, como hemos visto, las imitaciones serán inevitables. Además, la superioridad del producto ha de seguir siendo lo bastante sencilla para poderla comunicar a los clientes. Al mismo tiempo, debe reflejarse en características útiles y que agreguen valor. Tiene que *sentirse* superior.

La realidad es que las relaciones prosperan sólo en presencia de un vínculo emocional. Los consumidores pueden volver a comprar el producto; quizá incluso lo prefieran a los productos de la competencia, pero ¿están enamorados de la marca?, ¿les importa la relación que tienen con la empresa?

La pregunta, aunque extraña, será cada vez más importante. Las empresas necesitarán un lazo emocional porque con el advenimiento de las ventas minoristas "de potencia" y ahora el comercio electrónico, los costos de búsqueda se acercan a cero en muchas categorías. La seguridad ha desaparecido. Testigo de ello es el crecimiento de las mercancías de etiqueta particular y el número de consumidores que las consideran tan buenas como las de marca nacional.

Otra manera de ver el *continuum* de la lealtad es como una jerarquía de relaciones con el cliente similar a la jerarquía de necesidades de Abraham Maslow. La jerarquía de Maslow, publicada por primera vez en 1943, sostenía que para motivar a las personas es preciso suplir una serie de necesidades que se presentan como una escala ascendente. La jerarquía corre paralela al ciclo de vida humano. Primero vienen las necesidades fisiológicas básicas: calor, techo y alimento. Suplidas las necesidades fisiológicas básicas, emergen otras. Les siguen en la jerarquía las necesidades sociales (o de amor) y las necesidades del ego (o amor propio). Al final, a medida que el individuo asciende por la escala satisfaciendo cada una de sus necesidades, llega a lo que Maslow llamó la "autorrealización", donde el individuo cumple su propio potencial personal. "Un músico tiene que hacer música, un artista tiene que pintar, un poeta tiene que escribir, si pretende al fin estar en paz consigo mismo. El hombre tiene que llegar a ser lo que ha de ser", dijo Maslow.

Nosotros conceptuamos que la escalerilla de la lealtad comprende cuatro peldaños, representados en la gráfica 3.5.

Gráfica 3.5. Escalerilla de la lealtad

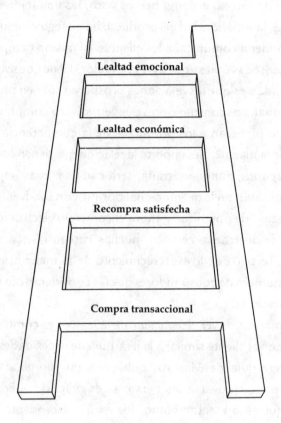

Lealtad emocional

Lealtad económica

Recompra satisfecha

Compra transaccional

- *Primer peldaño: compra transaccional*

En esta etapa no hay lealtad en el sentido estricto de la palabra. Los consumidores evalúan cada compra y toman una decisión sobre qué comprarán. Esto puede o no conducir a nuevas compras. Depende de factores como el precio. La recompra en este contexto es de índole efímera. Para algunos tipos de productos, puede ser poderosa durante largo tiempo, pero se presta, por naturaleza, al ataque.

- *Segundo peldaño: recompra satisfecha*

Los consumidores toman su decisión de compra basados en una experiencia positiva: "Me agradó la última vez", o en la expectativa de una experiencia positiva generada por referencia personal (más poderosa) o publicidad (menos poderosa). Los bienes-experiencia, como son la mayoría de los servicios desde médicos hasta consultores, son especialmente propensos a caer dentro de esta categoría.

Aunque este peldaño es más poderoso que la recompra transaccional, la recompra satisfecha sigue siendo tenue. Una mala experiencia puede poner fin a la relación. Igualmente, una promoción o una innovación de un competidor (sea real o constituya un artilugio) también puede alterar la relación.

• *Tercer peldaño: lealtad económica*

Aquí entramos en el verdadero terreno de la lealtad: la experiencia positiva continuada reduce el conjunto de consideraciones. No es que los costos de búsqueda sean altos sino que el beneficio previsto de la búsqueda es bajo. La lealtad emocional sirve de amortiguador contra experiencias negativas, que se pueden atribuir al azar, y también contra la innovación; tratándose de lealtad económica, a veces está bien ser un seguidor rápido (a menos que el meollo del valor sea una innovación).

Las investigaciones muestran que las marcas pioneras en una categoría logran mayor lealtad entre los consumidores que las copias posteriores. Una interpretación es que el ser primero permite a los consumidores formar una lealtad económica con el producto. La lealtad económica se ve en McDonald's con su segmento de familias jóvenes dentro del mercado para comidas rápidas, y en la batalla entre Reebok y Nike.

• *Peldaño superior: lealtad emocional*

La lealtad emocional es un lazo afectivo con la marca. En la terminología de Maslow, es un medio de autorrealización. Es un nivel de satisfacción más alto, uno que suple cierta necesidad emocional. Las marcas que engendran lealtad emocional pueden evolucionar más allá del campo específico para asumir un carácter de aspiración. Y lo hermoso es que ninguna categoría queda exenta. El cuadro 3.2 muestra una variedad de negocios que han logrado establecer un vínculo emocional con sus clientes.

Cuadro 3.2. Ejemplos de lealtad emocional para con marcas

Marca	*Descripción y mensaje*
Michelin	• Seguridad suya contra seguridad de sus hijos • Innovación como la fuente de lealtad económica
Volvo	• Seguridad de la familia; también confiabilidad
McDonald's	• EEUU: Lealtad económica con niños y adultos viajeros • Internacional: un pedacito de los Estados Unidos
Snap-on	• Proveedor confiable y conocedor; producto de alta calidad
Marlboro	• Idealismo estadounidense: la vida al aire libre

EL ASCENSO POR LA ESCALERILLA DE LA LEALTAD

Pese a las investigaciones extensas en los medios académicos y prácticos, todavía nos falta conocer mejor cómo se forman los lazos afectivos entre la gente en general, y con más razón, con una marca comercial. Pero sabemos que son reales. Comenzamos a recurrir a otras disciplinas (psicología, sociología, comunicación y ciencias políticas) para aprender a fomentar y administrar tales lazos.

Ahora bien, parece que al respecto imperan ciertas reglas generales:

• No se puede lograr una lealtad emocional sin haber subido los demás peldaños de la escalerilla de lealtad.

• Es preciso comprender las aspiraciones y motivaciones del cliente y apelar a "lo que hay de superior en usted".

• Es preciso manejar todos los puntos de contacto con el cliente emocionalmente leal.

• Los clientes emocionalmente leales abrigan expectativas más altas: no se les puede defraudar. Es esencial comprender y manejar al cliente emocionalmente leal: piénsese en términos políticos, no de comercialización.

La generación de lealtad emocional, aunque costosa, vale la pena: se trata probablemente de los segmentos menos sensibles a los precios. El lado racional (relacionado principalmente con el precio del producto) tiende a elevar el porcentaje general de ocasiones de compra totales, pero el lado emotivo tiende a imponer sobreprecios mayores. Los productos de marca imponen un sobreprecio de aproximadamente el 25 por ciento. Los productos incapaces de añadir el elemento emocional a la compra sacan márgenes de utilidad inferiores (típicamente un 15 a 10 por ciento menos).

CÓMO ALCANZAR EL PELDAÑO EMOCIONAL

Aunque no comprendan a cabalidad todos los elementos, la empresas tienen que comenzar a analizar dónde se sitúan en la escalerilla de la lealtad — y deben ensayar diferentes maneras de subir la escalerilla.

¿Qué deben hacer? Tienen que comprender la mecánica de la lealtad y la escalerilla de la lealtad. Por ejemplo, piénsese en el proceso que acompaña la compra de llantas. Esta compra encierra cierto elemento emocional. Michelin ha logrado una intensa lealtad a la marca gracias a una llamativa identificación emocional con los bebés y la seguridad. Antes de la comercialización de Michelin orientada hacia los niños, nadie pensaba en una llanta como una compra de tipo emotivo.

La fuerza de apelar a las emociones de este modo es que en algunos casos los consumidores compran el producto aunque sea inferior. Cuando Harley-Davidson tuvo problemas de calidad, los consumidores se mantuvieron leales a causa de la atracción emocional. Ahora que la calidad ha mejorado notoriamente, Harley tiene a la vez buenos atributos de su producto y un fuerte lazo emocional, lo cual ha generado una lealtad enormemente intensa.

Harley, como muchos otros, también apela a la atracción emocional de "comprar americano". Comprar americano es una emoción simple. Funciona, pero sólo hasta cierto punto. La regla general es que las cuerdas emocionales hay que hacerlas vibrar de una manera más sutil e indirecta.

"Como una roca", de Chevrolet, es un ejemplo de ello. El mensaje es: "Estoy luchando un poco, pero estoy viendo por mi familia, trabajando fuertemente y vamos a salir adelante".

El mensaje es que para producir una atracción realmente diferenciada, debe estar presente el lado no económico (emocional) que refuerce los atributos del producto. Si se hace correctamente, el aspecto "imagen" de la marca puede ser un impulsor más fuerte que el aspecto "producto". Éste puede duplicarse, mientras que resulta muy difícil copiar o competir con el aspecto emocional. En combinación, el producto y la atracción emocional, elevan el sobreprecio y aumentan el porcentaje de nuevas compras.

MARCAS PARA LA LEALTAD

En la búsqueda de lealtad, los canales se reconstituyen cada vez más como marcas. Al mismo tiempo, las marcas se han reconstituido como armas emocionales. Las marcas han ido más allá de los productos. La gráfica 3.6 ofrece un claro ejemplo del impacto decreciente del producto; en ventas de automóviles la consideración del vehículo mismo explica sólo el 15 por ciento de la decisión de un cliente de comprar nuevamente.

La idea tradicional de lo que constituye una marca la resume Philip Kotler, *gurú* del marketing, en su texto clásico *Marketing Management*. Kotler escribe: "[Un nombre de marca es] un nombre, término, señal, símbolo o diseño, o una combinación de los anteriores, que pretende identificar los bienes o servicios de un grupo de vendedores y diferenciarlos de los competidores".

El problema con las definiciones más antiguas de marca es que siguen refiriéndose al producto físico: el producto se sostiene solo; la marca existe dentro de un éter corporativo. El producto viene primero; la marca hace poco más que aclarar qué empresa fabricó el producto y dónde. Pero si bien el automóvil Saturn es un producto, la marca Saturn es mucho más.

Una definición más reciente viene de Richard Koch en su libro *The Dictionary of Financial Management*. Kock define una marca como "un diseño

Gráfica 3.6. Qué determina la lealtad de los clientes

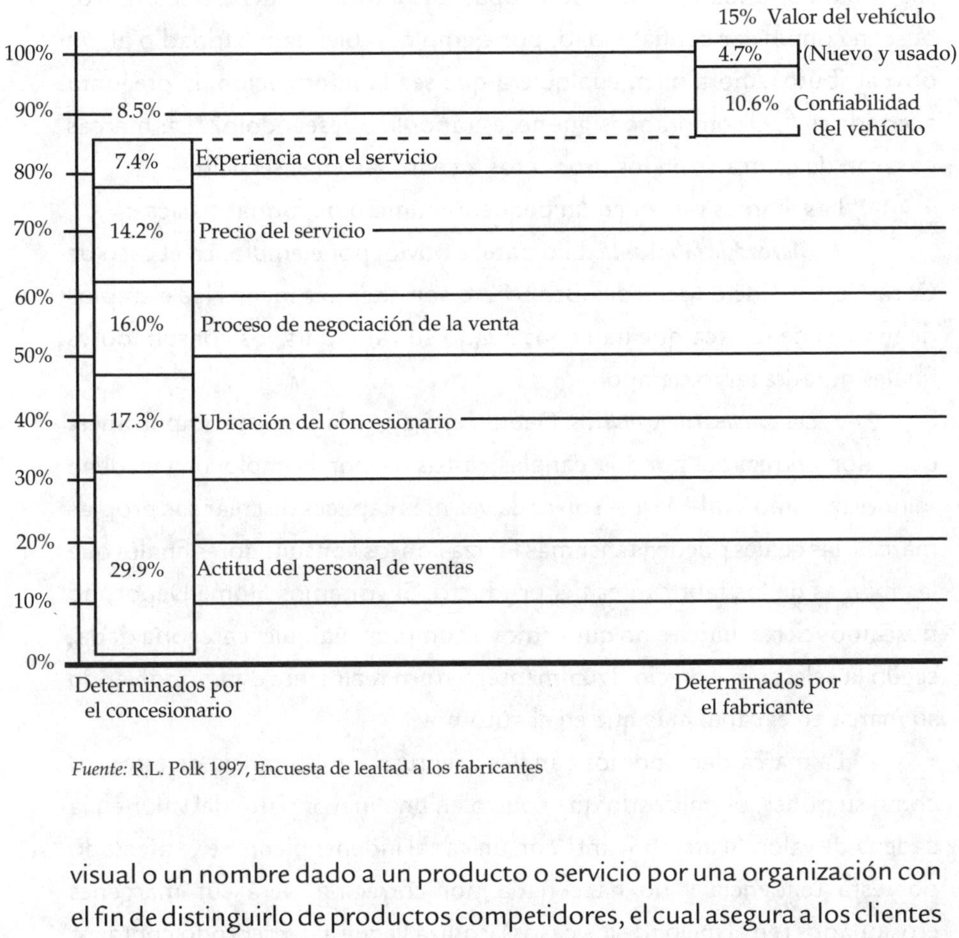

Fuente: R.L. Polk 1997, Encuesta de lealtad a los fabricantes

visual o un nombre dado a un producto o servicio por una organización con el fin de distinguirlo de productos competidores, el cual asegura a los clientes que el producto será de calidad alta y constante". Reflejando el énfasis de nuestra época, Kock hace hincapié en la diferenciación — que el producto o servicio sea diferente (o parezca diferente) — y en la calidad constante. Por ejemplo, Club Med es una marca para todos los puntos de destino que ofrece. Las personas deciden ir a Club Med sabiendo que éste tendrá determinado formato y cierto tipo de servicio, y luego escogen el destino.

Una editorial en *The Economist* observó con perspicacia: "El objeto de las marcas es, y siempre ha sido, dar información. La forma de tal información varía de un mercado a otro y de un momento a otro. Unos productos comunican visualmente algo acerca del estilo, el modernismo o la riqueza de sus usuarios; unos ejemplos son ropa, automóviles y accesorios. Otros buscan comunicar confiabilidad, por ejemplo, o bien familiaridad o algún otro atributo. Ahora bien, cualquiera que sea la información, la pregunta acertada es: "¿El comprador sigue necesitándolo o deseándolo?" Las marcas pasaron de centrarse en los productos a centrarse en el servicio.

Las marcas vienen en un pequeño número de formas básicas:

• *Marcas de fabricante*. Ello parece obvio, por ejemplo, en el caso de Coca-Cola o Tide o Mercedes-Benz. Pero son cada vez menos los ejemplos de marcas de fábrica que han conservado su valor para los consumidores finales durante largo tiempo.

• *Los canales como marcas*. Debido en parte a la creciente importancia del valor entregado por los canales, éstos — por ejemplo una cadena minorista como Wal-Mart — son cada vez más capaces de crear sus propias marcas, las cuales pueden tener más fuerza con los consumidores finales que las marcas de los fabricantes del producto. Si visitamos Home Depot, no buscamos cierta marca sino que vamos a comprar cualquier categoría dada, según la selección y precio. Igualmente, Saturn realmente está imponiendo su marca en el canal más que en el automóvil.

La marca dada por los canales acentúa la importancia de éstos así como su poder, permitiendo que controlen una mayor parte del valor en la cadena de valor. Si un fabricante con un canal independiente se ve afectado por esta tendencia y no hace nada por corregirla, verá sus márgenes erosionados (en el mejor de los casos) y quizá llegue a perder todo contacto con sus usuarios finales.

• *Marcas dentro de canales*. Los proveedores frecuentemente suministran bienes y servicios explícitamente para un canal de distribución. Las etiquetas particulares son ejemplo de una marca de canal. Éstas suelen anunciarse muchísimo, pero los minoristas las utilizan para ganar dinero: los consumidores vienen a la tienda buscando marcas muy anunciadas y se les dirige hacia otras marcas que le dejan al minorista un margen mayor. Algunos ejemplos famosos de marcas de etiqueta particular son Kenmore (electrodomésticos) y Craftsman (herramientas), que se venden únicamente en los expendios minoristas de Sears.

El hecho de ceder la relación con el cliente al canal suele ser un componente importante de la erosión de la marca de un proveedor. Para conservar y aumentar el valor de la marca, pues, los proveedores deben asegurar que los elementos de servicio deseados se entreguen de modo satisfactorio y constante, y que la combinación en la comercialización refuerce la imagen de servicio.

LA SEGMENTACIÓN POR COMPRAS

Quien posea un buen conocimiento del cliente basado en datos exhaustivos e interacción, y si comprende la naturaleza de la lealtad y el papel que corresponde a las marcas, podrá pasar a ver la mejor manera de dirigirse a determinados segmentos del mercado.

Para dirigirse a los segmentos, convienen tanto los productos como los servicios. Los productos se refieren a las características y el servicio se refiere a la interacción total. Proponemos dos dimensiones de la segmentación (además de las dimensiones tradicionales basadas en productos).

Primero, está la segmentación basada en el proceso de compra.

¿De qué modo desean las personas comprar algo? En el mercado de automóviles, por ejemplo, los canales de distribución han evolucionado lentamente debido en gran parte a las reglamentaciones y los altos costos. Ahora se están desarrollando rápidamente nuevos canales a medida que la segmentación por productos da paso a la segmentación por compra.

La industria automotriz estadounidense se halla ante una avalancha de nuevos formatos de canales que cumplen varios aspectos del tradicional papel del concesionario en la venta de vehículos nuevos. Hay intercambios de información en la Internet; hay clubes de compra que actúan como intermediarios de venta y proveedores en línea de opciones de financiación; hay centros comerciales de vehículos y megaconcesionarios. Más que nunca, los fabricantes y concesionarios se sienten presionados a analizar cómo atender mejor las necesidades muy diversas de clientes diferentes. Aun más avanzado es el conjunto de opciones en materia de canales que existe en otros aspectos del negocio tradicional de estos concesionarios: automóviles usados, financiación y seguro, piezas y servicio, alquiler y flotas.

El proceso de compra encierra típicamente tres etapas:

• Adquisición de información
• Experiencia por interacción
• Consumación de la transacción

La marca Gap

El lema de Gap en la Navidad de 1996 fue "Todos los colores — sólo Gap", antítesis contemporánea de aquél de Henry Ford: "El color que usted guste, siempre y cuando sea negro". Fundada en 1969, la cadena minorista se conformó por varios años con vender jeans de Levi's e identificarse con el logo "gap" en letras minúsculas. En los años setenta y comienzos de los ochenta, el concepto de centros comerciales encerrados estaba cobrando verdadero auge, y resultaba sensata la estrategia de crear un expendio minorista reconocible. Pero al irse modificando el aspecto visual de la venta minorista de ropa en los ochenta, Gap comenzó a verse anticuado. Otras tiendas habían copiado su fórmula, utilizando un diseño similar en sus expendios y vendiendo productos de igual aspecto. Muchas tiendas de ropa formaban altas pilas multicolores de camisetas y sudaderas imitando la sensación y el ambiente de Gap. El original tendría que hacer algo por conservar su posición.

El director ejecutivo Millard "Mickey" Drexler comprendió que le había llegado a Gap la hora de dejar de considerarse como minorista para comenzar a pensar como una marca. El resultado fue la creación de una de las marcas estrellas de los últimos años.

En 1983 la empresa cambió su logotipo a letras mayúsculas, largas y nítidas, para convertirse en GAP. Para 1991, se había reinventado, eliminando la línea de Levi's enteramente. Pero las tiendas de Gap son apenas una parte de la historia. En los Estados Unidos la empresa también revitalizó Banana Republic — adquirida en

EMPRESA	The Gap, Inc.	
DIRECCIÓN	One Harrison Street, San Francisco, CA 94105 USA Teléfono: 650-952-4400 Fax: 650-427-2795 URL: http://www.gap.com	
NEGOCIO	Minorista especializado — vestuario	
ESTADÍSTICAS	Empleados	1998 81 000
	Ventas anuales (miles)	1998 $6 507
	Resultados anuales (miles)	1998 $ 533
	Otros datos	Unas 2 300 tiendas de ropa informal en Canadá, Francia, Japón, el Reino Unido y los Estados Unidos

1983—, fatigada en los tempranos noventa, rejuvenecida desde entonces. También lanzó sus tiendas Old Navy Clothing en 1994, en expendios con ambiente de bodega.

Fue así como la empresa formó tres canales distintivos dirigidos a diferentes segmentos del mercado. En el extremo más costoso tiene Banana Republic; en el menos costoso Old Navy; y en el terreno medio superior la marca Gap. En los tres casos, una clave en la oferta de la marca es la novedad. La empresa introduce colores nuevos constantemente y va rotando sus artículos para asegurar que, cualquiera que sea la temporada o la última moda, el cliente pueda entrar en sus tiendas y encontrar algo enteramente contemporáneo.

La empresa ha logrado integrar la identificación del nombre de marca, respaldado por comercialización y publicidad, en su operación de marketing. La apariencia limpia y despejada que caracteriza la imagen de la marca Gap funciona igualmente bien para grupos de cualquier edad. Con más de mil tiendas en los Estados Unidos, Canadá, Francia, Alemania, Japón y el Reino Unido — y más de 550 expendios de GapKids y BabyGaps — Gap ha logrado ingeniosamente imprimir en su marca la misma sensación y la misma imagen de ropa de diseño sencillo.

El discernimiento de Drexler resultó profético. Desde 1994, cuando ciertos comentaristas subestimaron la empresa como un "negocio maduro", las ventas han subido vertiginosamente. "Convirtieron su nombre en marca", señala un destacado analista de las ventas por menor. "Es uno de los pocos minoristas que se han dado ese lujo". En este caso, las marcas del canal arrollaron y se impusieron sobre las marcas de los productos anteriores (como Levi's) que se vendían en todos sus expendios. The Gap es capaz de producir y vender sus artículos de etiqueta propia, negocio mucho más rentable que el de vender productos de marca ajena.

Dicen que cuando lo picó el mosco de la marca Drexler se sumergió en información sobre las marcas líderes en el mundo, especialmente Coca-Cola. No es coincidencia que invitaran a Sergio Zyman, alto ejecutivo de comercialización de Coca-Cola, a formar parte de la junta directiva de Gap.

Para asegurarse aún más, la empresa está vertiendo dinero de publicidad como gasolina en su estrategia de marca para mantener alta la llama. En 1996 gastó aproximadamente $100 millones y en 1997 $150 millones.

En 1995, consciente del gran poder de atracción de su marca, The Gap agregó una línea de productos de uso personal en un empaque de moderno acabado de acero inoxidable que sirvió de complemento a la estética de la marca y al ambiente muy práctico de las tiendas Gap.

La nueva línea de productos irradiaba calidad, pero calidad comprable. Era diseño de diseñador sin precios de diseñador.

También en años recientes la empresa se ha mostrado dispuesta a avanzar tal como lo exige la época, extendiendo su marca a nuevos formatos de canal como son las compras por Internet. Ante todo, la compra es fácil. Las tiendas ofrecen fácil acceso y las prendas vienen en colores combinados para los clientes. La primera gran campaña publicitaria de televisión en 12 años se lanzó con el cantante de rap LL. Cool J. ¿Qué cantaba? "¡Cuán fácil es esto!"

Adquisición de información

Los clientes de W.W. Grainger pueden conseguir información en el catálogo en línea de la empresa (siempre abierto con más de 189 000 productos a la espera de ser hallados por el buscador), o bien del catálogo en CD-ROM (más de 200 000 productos y 500 000 referencias cruzadas), además del tradicional catálogo impreso. También pueden comunicarse por teléfono, fax o correo electrónico. ¿Un exceso? De ninguna manera; no puede haber muchos clientes en potencia de W.W.Grainger que no hayan encontrado la información necesaria para decidir si efectuarán o no una compra a la empresa.

Tiene sentido ofrecer variedad de medios para reunir información. Unos necesitan mucha información proveniente de gran número de fuentes. Quizá prefieran la información en diferentes formatos. Algunos, por ejemplo, prefieren los vídeos a las hojas desplegables. También están aumentando las maneras de reunir información. En sí, la fragmentación de las modalidades para reunir y suministrar información ha ocasionado una segmentación considerable del proceso de compra. Por ejemplo:

- ¿Cuánta información creen necesitar los clientes para poder tomar una decisión?
- ¿Desean ayuda para encontrar la información, o preferirían hacerlo solos (quizá valiéndose de un CD-ROM o de la Internet)?
- ¿Desean un abanico muy grande de opciones en cuanto a marcas y puntos de precio, o sólo unas pocas?
- ¿Cuán importante es para los clientes sentirse seguros de que han encontrado el precio más bajo posible?

Si no sabemos las respuestas, podemos estar seguros de que algunos de nuestros clientes se nos escaparán, dirigiéndose desilusionados a otra parte.

La experiencia de interacción

Los clientes generalmente requieren alguna interacción con el producto antes de comprarlo, ya sea ensayarlo, tocarlo o examinarlo. Una estrategia conveniente es la de ofrecer algún mecanismo mediante el cual puedan estimularse tales interacciones. En el mercado de automóviles la mayoría de los fabricantes mantienen una relación mediante flotas de alquiler. Éstas no son necesariamente lucrativas para ellos, pero aseguran que el público estará expuesto a sus vehículos. (Hay quienes empiezan a dar un paso más con iniciativas como ensayos y alquileres de dos semanas, compitiendo así con las empresas fuertes de alquiler — como Sixt, en Europa, que está llevando su modelo de negocios nuevamente en dirección hacia la competencia con las empresas de automóviles.)

Para ciertos productos, el cliente no requiere contacto físico como su forma de interacción. Los servicios de marketing electrónico como Peapod se utilizan para reducirle al cliente el costo de búsqueda ofreciéndole información sobre productos y precios en línea y permitiendo que haga pedidos por la misma vía. (Una vez alcanzada la escala crítica, servirán también para reducir los costos de distribución.) El actual modelo de negocios de Peapod disocia aquel intercambio de información sacándolo de la tienda de abarrotes local, pero conserva la distribución física y otros servicios de valor agregado; en el futuro, quizá disocie también la parte logística de la tienda local de abarrotes.

Consumación de la transacción

La transacción de compra en sí ha dejado de ser tan sencilla como antes. En años recientes el proceso se ha desagregado. Si vamos a comprar un automóvil, la transacción encierra ahora elementos como financiación, seguro y otras opciones de servicio de valor agregado.

Es importante recordar que un mismo producto puede venir acompañado de diferentes modalidades de información, interacción y consumación. Por ejemplo, el acabado fotográfico — producto bastante estandarizado — se obtiene por diversos canales que ofrecen diferentes experiencias de compra. Entre ellos se cuentan los pedidos por correo con interacción limitada, el servicio rápido de una hora donde el cliente encuentra interacción personal y hace el escaneo por su cuenta, y ampliaciones y servicios afines en las tiendas especializadas.

SEGMENTACIÓN POR PROPIEDAD Y USO

La segunda forma de segmentación que se hace cada vez más importante es la basada en la experiencia de propiedad y uso. ¿Desea usted que se le haga servicio o mantenimiento al producto en su hogar, o está dispuesto (a cambio de un descuento) a llevarlo a un centro de servicio? ¿Desea un préstamo temporal? ¿Cuánto tiempo está dispuesto a esperar el servicio? ¿Qué garantía desea por el servicio al producto?

Obviamente, esta dimensión no es igual para bienes de consumo que para productos duraderos. En el caso de bienes de consumo, por ejemplo, las empresas de comida rápida piensan en la experiencia de consumo. El cliente puede comprar la comida rápida y consumirla en el automóvil o llevársela a la oficina. Tal vez desee que se la entreguen en su casa o lugar de trabajo. Los tipos de experiencia de consumo son incontables. Sabiendo que el lugar donde el individuo come determina su conducta, las empresas de comida rápida han diseñado paquetes diferentes para cada experiencia.

En términos más generales, la propiedad o consumo encierra tres elementos:

• *Entrega y montaje.* Armstrong World Industries formó un sistema de respaldo a la decisión de compra a fin de optimizar su oferta de baldosas para pisos. Los clientes se segmentaron por la forma en que deseaban comprar e instalar el producto. El primer criterio ya no era el color del producto, como lo fue tradicionalmente, sino el modo de instalación: si el cliente deseaba comprarlo e instalarlo por su cuenta, o si deseaba que lo diseñaran e instalaran por él. De hecho, Armstrong se esforzó por convertirse en el equivalente de P&G o de Wal-Mart en la atención al canal minorista grande de productos de construcción.

• *Servicio y suministros.* Hoy existen máquinas Xerox que se pueden comprar, alquilar o pagar por cada toque del botón (modalidad que incluye el papel y otros materiales de consumo, así como el mantenimiento). Mirando hacia el futuro, ciertas alianzas entre servicios públicos y fabricantes de electrodomésticos han comenzado a explorar esta idea de vender, no refrigeradores sino refrigeración, incluyendo en ello el alquiler de equipos, servicio, financiación e incluso el consumo eléctrico en un pago mensual.

• *Reemplazo*. En el pasado, no se tenía en cuenta sistemáticamente el momento en que terminaría la experiencia de propiedad. La atracción de la marca, las clientelas grandes establecidas y el poder del producto eran tales que los proveedores solían hacer escasos esfuerzos por asegurar que se comprara como reemplazo uno de sus propios productos. Si el cliente le compraba a GM, la empresa daba por sentado que prácticamente no se inclinaría a buscar reemplazo en otra parte. Ahora el ciclo de reemplazo se examina con rigor exhaustivo.

Por ejemplo, en diversos productos duraderos la modalidad de *leasing* significa que las empresas pueden comunicarse con sus clientes tres a seis meses antes de terminarse el período de alquiler. Entonces pueden entablar un diálogo para comprender cómo han cambiado las necesidades del cliente.

Campeones de los conductos: N Brown

Una compañía que ha hecho de su gestión de canales una ciencia es N Brown, grupo de ventas por correo domiciliado en Manchester, Inglaterra. La empresa ha arrojado la impresionante cifra de crecimiento del 20 por ciento compuesto durante los últimos 25 años. Sin embargo, el nombre no es reconocible de inmediato para muchos de sus clientes. La razón es que prefiere comercializar los nombres de marca de sus catálogos: J. D. Williams, Oxendales, Heather Valley, Fifty Plus y Ambrose Wilson. De este modo, los clientes sienten que están tratando con una firma pequeña y personal.

Cada catálogo para pedidos por correo va dirigido a un grupo específico de clientes. El éxito de la empresa proviene de la fuerza de sus marcas, respaldadas por una operación de comercialización que gira en torno a un alto grado de conocimiento de los clientes, información reunida mediante el contacto directo con ellos. Allá por los años sesenta y setenta, Sir David Alliance, energético presidente de la junta de esta empresa, adquirió varias compañías pequeñas de compras a domicilio y las reunió a todas bajo el estandarte de N Brown en 1972. La empresa ha prosperado concentrándose en las necesidades de ciertos segmentos de clientes claramente

EMPRESA	N Brown		
DIRECCIÓN	53 Dale Street, Manchester, United Kingdom M60 6ES Teléfono: 440-161-236-8256		
NEGOCIO	Ventas por catálogo		
ESTADÍSTICAS	Empleados	1998	3 249
	Ventas anuales (miles)	1998	$523
	Resultados anuales (miles)	1998	$ 46
	Otros datos	Unas 2 300 tiendas de ropa informal en Canadá, Francia, Alemania, Japón, el Reino Unido y los Estados Unidos	

diferenciados: consumidores (y especialmente consumidoras) de edad madura y avanzada.

Más recientemente, también ha incursionado en ropa de varón, ropa de niño, ropa para mujeres más jóvenes (de 30 años y menos), calzado e, incluso, productos para el hogar y el jardín. Sin embargo, el enfoque del canal sigue siendo el mismo: "Estamos vendiendo al por menor a personas que prefieren comprar desde su casa", dice Jim Martin, director ejecutivo de N Brown. Elemento fundamental de su éxito es la capacidad de la empresa de administrar un avanzado proceso de comercialización por base de datos.

Mediante su base de datos, la empresa procura comprender a fondo a sus clientes, conocer "sus gustos, sus expectativas de calidad y sus requisitos en cuanto a talla". Tal información, reunida de compras anteriores y de "propuestas de venta enfocadas en diarios y revistas nacionales", se utiliza para segmentar a los clientes y para individualizar los productos y ofrecimientos por segmentos, con la filosofía de que "el cliente típico no existe".

Pero al contrario de las empresas tradicionales de venta por correo en el Reino Unido, que actúan mediante una red de agentes vendedores, N Brown trata directamente con los compradores. De este modo, ejerce el control directo sobre sus canales. Es una modalidad que le ha dado buenos resultados. El director de administración Iain McFarlane atribuyó su éxito a la percepción del presidente de la junta Sir David Alliance. "Se plantó en sus opiniones acerca de las compras directas. Dijo que, a la larga, tratar no con agentes sino directamente con un miembro del hogar dará mejores resultados que un negocio de pedidos por medio de agencias".

La empresa también ha desarrollado un grado de servicio al cliente en el cual se identifican más de 40 puntos esenciales en la relación de negocios entre la empresa y sus clientes. Éstos sirven para calificar el desempeño.

La empresa no ahorra esfuerzos por sondear las necesidades de los clientes. Por ejemplo, hace poco realizó una encuesta sobre tallas con más de 700 mujeres, con el objeto de mejorar las especificaciones de la ropa, y luego lanzó un nuevo catálogo de éxito titulado "Combinación clásica". En forma análoga, ha creado un nuevo servicio para escoger las tallas del calzado, llamado Shoe Tailor.

Factor esencial del éxito de la empresa es que comprende la índole especial del canal mediante el cual actúa. Las investigaciones del cliente demuestran que un factor clave para éste es la disponibilidad del producto. N Brown mantiene los niveles más altos de "existencias disponibles" en su industria (entre el 90 y el 92 por ciento). Con ello, asegura alta disponibilidad y pronta entrega.

Una encuesta entre más de 30 000 clientes reveló también que éstos detestaban pagar el porte de las devoluciones. Dando un paso inusitado en ese momento, la empresa decidió ofrecer devoluciones gratis, pagando el porte de correo para que los clientes devolvieran la ropa.

La decisión, que costó aproximadamente $4,4 millones al año, no se tomó a la ligera. Pero se sabía, por encuestas de los clientes, que el porte de las devoluciones era muy importante para los clientes de bajos ingresos.

Desde que N Brown impuso su política de devoluciones gratuitas, el aumento en los pedidos ha sobrepasado el costo. Iain McFarlane explica: "Hacerlo fue realmente un acto de fe. Como resultado, aumentaron las devoluciones, pero analizando lo sucedido, las ventas han subido más".

La empresa reconoce también que la importancia de los diferentes canales probablemente cambiará con el tiempo, fenómeno éste que podrá influir grandemente en los niveles de servicio exigidos. "Las transacciones telefónicas eran sólo una parte minúscula de nuestro negocio; todo se hacía sobre papel. Con las transacciones en papel, lo único que puede hacerse para mejorar el servicio es simplificar el papeleo;

no había contacto personalizado. Ahora, el 75 por ciento de nuestros negocios se hacen por teléfono", dice McFarlane. "Aún no es lo mismo que estar cara a cara, pero estamos hablando con los clientes, y es mucho lo que puede hacerse con un buen guión y capacitación. Al final de cuentas, las cosas más importantes a distancia son la existencia de la mercancía, entrega eficiente y resolución pronta de problemas. Éstas son las verdaderas inquietudes, y nuestras encuestas a los clientes indican que estamos mejorando al respecto, hemos dado grandes pasos en los últimos tres años".

Con el tiempo, los nuevos canales, entre ellos la Internet, afectarán los negocios de la empresa. En particular, las compras a domicilio a través de la red, cuando se hagan realidad, significan que la empresa podría perder cierto grado de contacto personal con sus canales. De ello McFarlane está muy consciente. "No tenemos clientes realizando negocios por Internet todavía", dice. "Esto aún es muy experimental pero va a ser realidad. Tal vez no venga hasta que haya un elemento interactivo sumamente bueno. Pero usted tiene razón: podríamos perder aquel elemento personal que tenemos por teléfono".

"A cambio de ello, sospecho que habrá mayor eficiencia en los pedidos y más confianza de los clientes. Estos elementos nos ayudarán a compensar la falta de interacción humana. Las compras a domicilio llegarán. Nuestra ventaja será la fuerza de nuestros procesos e infraestructura. Es, de nuevo, el punto de eficiencia y eficacia en función de los costos".

Canales de N Brown

- Utilizar diferentes canales (catálogos de pedido de marcas por correo) para llegar a segmentos de clientes escogidos.
- El contacto directo es clave para conocer a los clientes.
- Prestar servicios nuevos para agregar valor mediante el canal, por ejemplo, las devoluciones gratuitas.
- Averiguar qué desean realmente nuestros clientes, como se hizo con la investigación sobre tallas.

Capítulo 4

Segundo paso: Formular nuevos conceptos de canales

La producción de automóviles se puede automatizar, pero no se puede automatizar la producción de clientes.

— WALTER REUTHER

El conocimiento del cliente brinda una ventaja competitiva.

Ofrece palancas de valor que pueden ser accionadas por la empresa que tenga tal conocimiento. Las empresas que logran conocer a su cliente tienen muchas y diversas maneras de agregar valor, ya sea compartiendo este conocimiento con los actuales protagonistas de los canales para aumentar su valor, o bien creando nuevos canales.

Si las empresas saben lo que sus clientes desean, y cómo y cuándo lo desean, pueden crear canales que se ajusten a tales necesidades.

En un caso, por ejemplo, los autores examinamos las tiendas de compra rápida en las estaciones de gasolina. Los expendios de nuestro cliente presentaban un desempeño muy inferior al de otras tiendas de abarrotes de compra rápida porque no respondían a las necesidades en materia de servicio. En términos generales, las ocasiones de compra pertinentes se distinguen de las compras de gasolina, y pueden segmentarse en cuatro tipos: mercado general, compras de faltantes, golosinas y noticias.

Cada ocasión de compra exigía determinada combinación de productos y servicios. Quienes iban a hacer mercado general buscaban precios bajos, selección amplia y facilidad de estacionamiento. Buscaban un mercado de abarrotes completo, con porciones de tamaño familiar. Quienes iban a completar el faltante buscaban ante todo artículos como leche y pan. Factores clave para ellos eran la limpieza y la frescura. Los que iban por golosinas buscaban amplia variedad de golosinas a precios competitivos, y los que iban por noticias querían varias opciones de revistas y fácil acceso peatonal.

Es evidente que otros expendios se prestan más a algunas de estas ocasiones de compra. Los hipermercados y supermercados atienden a las necesidades de los que van a hacer mercado completo, pero no de los compradores de golosinas y noticias. Las tiendas de compra rápida suplen muy bien las necesidades del que busca golosinas pero no ofrecen todos los productos y servicios de un mercado completo.

Un análisis competitivo reveló que la modalidad de expendio expreso daría márgenes altos con el segmento de compradores de faltantes. (También descubrimos las ventajas de los expendios expresos comparados con las tiendas de compra rápida.) Las implicaciones de esta nueva modalidad para nuestro cliente lo llevaron a tomar las siguientes medidas:

- Concentrarse en bienes perecederos (uno de los principales impulsores del segmento de compras de faltantes).

- Seguir ofreciendo el surtido básico para los segmentos de golosinas y noticias.

- Pasar a paquetes de tamaño familiar en vez de los tamaños individuales que se estaban usando con malos resultados.

- Fijar precios competitivos en comparación con los hipermercados y supermercados, y por debajo de las tiendas independientes de abarrotes y las de compra rápida.

Combinando el concepto del expendio expreso con el de una tienda de compra rápida y precios de hipermercado, la empresa logró un margen bruto del 18 por ciento, el cual, bien administrado, mejoraría las ganancias considerablemente.

Tal conocimiento del cliente le permite al proveedor identificar las palancas de valor en el manejo del equilibrio del poder entre proveedor y canal. En algunos casos, ello implica disociar algunos servicios de valor agregado del actual canal, o bien establecer otros canales.

Por ejemplo, en vez de vender automóviles, el fabricante podría emprender el negocio de alquilarlos por *leasing* repetidas veces hasta que estén por desecharse. Los pagos de alquiler se estructurarían para incluir seguro, mantenimiento e incluso costos de operación. El fabricante llevaría la ventaja en el alquiler del próximo vehículo a su cliente y tendría la posibilidad de influir en dicho proceso (tal vez convenciéndolo de que ascienda a un modelo con especificaciones más altas).

Además, como el fabricante tendría información casi perfecta sobre el servicio y la historia de accidentes del automóvil alquilado, podría calcular con precisión su valor residual; por consiguiente, conseguiría una parte del valor del vehículo a lo largo de la vida útil del mismo, mayor de la que es posible con el actual sistema minorista de coches usados donde los vendedores tienen que descontar los precios para reflejar el riesgo que los compradores creen correr de comprar un automóvil malo. Lo anterior no es enteramente hipotético. Una manifestación del fenómeno es el creciente énfasis en los programas de vehículos usados, tanto automóviles como camiones.

Este tipo de fenómeno y de posibles conflictos será aun más frecuente en el futuro. La administración de las relaciones con los canales cobrará una importancia vital. Por ejemplo, un problema grande para Compaq, gigante de los computadores, es cómo pasar de su actual modelo de negocios con su red de consumidores independientes a un modelo de ventas directas más parecido a Dell, sin enajenar a sus consumidores. El paso de un contacto indirecto con los clientes a uno directo sin sobresaltos requerirá destrezas excepcionales en materia de gestión de canales. La alternativa es romper con el pasado, aceptando un golpe masivo a los ingresos durante la transición. Estas inquietudes y otras relacionadas con los canales se presentan reiteradamente en todo el mundo de los negocios.

El conocimiento del cliente busca engendrar lealtad. Los clientes leales que repiten sus compras aseguran una ventaja competitiva más duradera.

Para los nuevos minoristas basados en la Internet, como Amazon.com y Peapod, la oportunidad de crear un modelo de negocios sustentable y de éxito depende de la capacidad para forjar lealtad ante la creciente competencia de otros , tanto de nuevas empresas en la Internet como de minoristas tradicionales de "ladrillo y mortero" que venden por la Red.

EL MONOLITO SE DESATA

Para formar relaciones significativas — interactivas — con los clientes es imprescindible individualizar todo el proceso de interacción con ellos. Esto parece obvio, pero lo que frecuentemente pasa por el departamento de atención al cliente es un simple formulismo. La historia reciente ha visto la industrialización del servicio a medida que se va estandarizando la experiencia de los clientes. El resultado es que las personas leen un guión y quedan desconcertadas cuando uno les hace una pregunta o se sale del escenario artificiosamente creado y controlado por ellas. Los verdaderos clientes no desempeñan un papel asignado.

Raoul Pinnell, director de comercialización del grupo bancario NatWest, dice: "Tradicionalmente, la idea era que el gerente bancario tenía cierta relación con el cliente. Ahora, comprendiendo que una misma talla no sirve para todos, tenemos una modalidad fragmentada. Tenemos gerentes de cuentas personales, tenemos servicio bancario las 24 horas, tenemos Action Line con respuesta de voz automatizada. Nuestra propuesta es que si usted desea visitar nuestras sucursales, llamarnos por teléfono o utilizar nuestros servicios de cualquier modo que se le antoje, bien puede hacerlo. Para ello, tenemos que comprender que el cliente no es unidimensional. El hecho de que un cliente se comporte de cierto modo en un aspecto, no significa que se va a comportar del mismo modo en otra situación". Análogamente, los minoristas de comidas rápidas han descubierto que las compras de sus clientes varían considerablemente según si van solos, acompañados con la familia, con hijos únicamente o con colegas del trabajo.

La gestión de canales no es gestión de los clientes ni predicción del comportamiento de éstos a fin de ofrecer una experiencia estandarizada. La gestión de canales se ocupa en generar más valor para los clientes proveyendo canales cuidadosamente diferenciados y desarrollados.

Los diseños de canales más satisfactorios son aquéllos que atacan el problema a nivel de segmentos específicos de clientes o incluso de individuos. La creación de valor refleja cómo las necesidades de servicio varían entre clientes con base en una comprensión acertada y precisa de sus necesidades y del aspecto económico de la satisfacción de las mismas. El exceso de servicio al cliente puede ser tan nocivo como la falta del mismo. Quien suministra a los clientes más valor del que desean o están dispuestos a pagar puede restarle viabilidad a un concepto de canal por lo demás excelente.

La gestión eficaz de canales significa que el proveedor aprovecha su conocimiento del cliente y del canal para proveer la combinación correcta — y los niveles de funciones correctos — a los diferentes segmentos de clientes de la manera más económica. Los proveedores han de administrar los canales de manera flexible e inteligente como funciones desenglobadas. Ello implica utilizar formatos diferentes dentro de un mismo canal así como canales alternos para entregar los paquetes de servicios y productos deseados a los segmentos-objetivo. El pasajero de primera clase en una aerolínea no espera hacer cola para recoger sus pasajes en el aeropuerto. El pasajero de clase económica está dispuesto a hacerlo a cambio de un costo más bajo. Comparten el mismo avión en el mismo vuelo, pero compran diferentes paquetes de servicio, por los cuales pagan precios diferentes.

En el futuro, puede preverse que veremos a las grandes empresas sacando más y más ofertas individualizadas de productos y servicios.

Tendrán que hacerlo si pretenden satisfacer las exigencias diversas de la clientela. El cliente atento a los costos no pagará por servicios indeseados, así como el cliente atento al servicio no aceptará la molestia de atenderse a sí mismo con el fin de ahorrar costos. El resultado es el paso a una modalidad de servicios a la carta, donde el cliente no paga lo que no desea. La nueva tendencia ya se hace evidente en algunas de las empresas más grandes y de mayor éxito del mundo.

Las ofertas dirigidas chocan con la respuesta habitual de las empresas que conocen mal a sus clientes. Éstas pretenden convencer a los clientes de que sus productos son atractivos envolviéndolos con servicios nuevos. En vez de individualizar, lo engloban todo inexorablemente. Más es mejor. Uno de los mejores ejemplos son los viajes en avión. Si cerramos los ojos durante el vuelo, encontraremos que estamos a 35 000 pies, sentados en una silla bastante incómoda con poco espacio para las piernas. La experiencia fundamental no ha cambiado mucho en los últimos 20 años. Lo que sí ha cambiado es la variedad de servicios que se envuelven alrededor de este producto básico.

En un vuelo de una hora se pueden aprovechar los siguientes servicios adicionales:

- Diversas opciones para registrarse (registro sin equipaje, registro electrónico)
- Diversas opciones de espera (salón de ejecutivos)
- Selección de diarios
- Toalla caliente
- Bebidas en abundancia
- Entretenimiento durante el vuelo
- Una cama
- Una motocicleta que lo reciba al llegar
- Un masaje en el avión (ofrecido al menos por una aerolínea)

Las aerolíneas lanzan todo a todo el mundo con la esperanza de complacer a los que necesitan toalla caliente mientras que los que no la necesitan se sientan satisfechos con el entretenimiento — y todo ello en aras del servicio y la diferenciación. Hay excepciones, desde luego. Como hemos visto, algunas aerolíneas están desenglobando sus servicios frenéticamente tratando de rivalizar con los competidores sin lujos como Southwest. Están dándose cuenta de que para algunos clientes, menos es más.

Sin embargo, en otras partes la carrera de los paquetes prosigue. El problema con englobar más y más servicios alrededor de un canal es que dicha modalidad de una misma talla para todo el mundo produce economías subóptimas. Los paquetes de servicios no diferenciados desconocen y desaprovechan las diferencias entre los clientes. Niegan la individualidad de los consumidores y entregan cada vez menos valor.

Salta a la vista un elemento de desesperación en tal fenómeno de los paquetes. Las empresas temen lo que pueda suceder si dejan de seguir inexorablemente las actividades de sus competidores. Llevado a su extremo, el resultado es que las aerolíneas compiten en la calidad de las comidas durante el vuelo y no en medidas de desempeño como la puntualidad — aquel conjunto de elementos que el público realmente valora. Las empresas se concentran más en sus competidores que en sus clientes. Han perdido de vista su verdadero objetivo: el valor para el cliente.

DE SEGMENTOS DE CLIENTES A FRAGMENTOS DE CLIENTES

La gestión de canales exige que las empresas se dirijan a segmentos del mercado definidos dentro de límites estrechos, a fin de crear canales individualizados. El paso es de grupos de clientes amplios a fragmentos de clientes. Para ello, las empresas tienen que replantear su modo de crear valor. Para tal fin, han de ver las funciones de servicios y canales como elementos individuales que pueden combinarse para ofrecer la combinación acertada a los clientes-objetivo. En la industria automotriz los fabricantes deben saber de comercialización local, ventas de automóviles nuevos, financiación, el recibo de autos usados como pago parcial y su venta, suministro de repuestos, y servicio. Pero más allá de tal disociación de las actividades principales, tienen que evaluar también los componentes detallados de dichas actividades. Sólo a este nivel podrán formular los servicios apropiados para cada fragmento de clientes. Por ejemplo, el proceso de compra de automóviles nuevos puede descomponerse en seis pasos:

1. Recibimiento continuo y subconsciente de información por publicidad, experiencias con el alquiler de automóviles, observación, etc.

2. Recopilación activa y enfocada de información proveniente de publicaciones, la Internet, impresos del fabricante y personal de ventas del concesionario.

3. Pruebas del vehículo donde el concesionario.

4. Selección del vehículo donde el concesionario.

5. Negociaciones de compra con el personal de ventas del concesionario.

6. Propiedad poscompra incluidas todas las interacciones con el concesionario o fabricante para servicio, reparaciones, atención general al cliente y posibles pagos continuados por concepto de préstamo o alquiler.

Cada uno de los elementos anteriores ha de analizarse con miras a determinar la mejor manera de brindar satisfacción a cierto tipo de comprador de automóvil y luego determinar quién debe cumplir cada una de las funciones detalladas necesarias para optimizar el proceso desde el punto de vista del cliente, en términos de cómo se siente dicho proceso y cuánto cuesta. También es importante cierto eslabonamiento de funciones para diferentes clientes y para los formatos de canales alternos.

La consecuencia inevitable es que las empresas identifican más y más fragmentos y suplen las necesidades de éstos. En muchos casos, pueden presentarse retos desconcertantes, pero la fragmentación es función de reconocer que los individuos albergan expectativas diferentes. La actual proliferación de bienes y servicios de alta calidad le permite al proveedor aprovechar las diferencias más pequeñas en las necesidades y deseos de sus clientes.

En este medio, una parte mayor de la diferenciación tiene que ver con el servicio. Ello significa que los proveedores deben ver que sus canales engloben con sus productos aquellos elementos de servicio de los tipos y variedades acertados para satisfacer a toda la gama de posibles clientes-objetivo. Los protagonistas de los canales que reconozcan y aprovechen las necesidades cambiantes de los clientes en materia de servicio y que desarrollen tácticas económicas ventajosas, irán avanzando rápidamente. Pueden transformar un fragmento en un mercado masivo.

La fragmentación de mercados y la creciente flexibilidad de muchos de ellos exigen que la segmentación asuma un papel radicalmente distinto en el proceso de crear una diferenciación basada en servicios. A medida que el servicio y otros elementos *blandos* entregados por medio del canal cobren creciente importancia en la diferenciación, los fabricantes tendrán que pensar en la segmentación en términos más amplios.

En su sentido tradicional, la segmentación solía distinguir a los consumidores por su poder de compra. Cuando GM proclamó que podía suministrar un automóvil para cada bolsillo, estaba segmentando a sus clientes principalmente por el tamaño de su billetera.

Muchas son las técnicas de segmentación, entre ellas los atributos de los productos, análisis de necesidades, factores psicográficos, atracción de cierto estilo de vida, etc. Fundamentalmente, todas se refieren a cómo el cliente piensa en un producto mientras toma la decisión de compra.

La gestión de canales ofrece un modo nuevo de ver la segmentación. Le añade una dimensión novedosa. Ahora la segmentación no se limita a los atributos del producto sino que debe incluir elementos de servicio como son el proceso de compra y la experiencia de propiedad. En consecuencia, el objetivo de la segmentación es permitir que el distribuidor diseñe diferentes paquetes de atributos del producto y servicios asociados, los cuales se ajusten mejor a las necesidades y deseos de diferentes conjuntos de clientes en materia de compra y propiedad. Para que sean rentables, estos paquetes deben individualizarse de modo que optimicen el valor entregado a cada segmento de clientes, asegurando a la vez que se pueda brindar el paquete de una manera económica. Para que los canales funcionen, las empresas deben segmentar sus mercados no sólo por producto sino por compra y propiedad también. La segmentación, pues, trata de aumentar las oportunidades que los clientes tienen para interactuar con el producto o servicio. La segmentación amplía las oportunidades. Lo hace determinando qué funciones y actividades son necesarias para qué clientes y luego encontrando la mejor manera de proveerlas.

Campeones de los canales: finanzas personales dinámicas en Providian

La industria de servicios financieros ha dejado la estandarización para orientarse hacia la personalización. La actividad bancaria se ha convertido en banca *personal*.

Este fenómeno emite el confuso mensaje de que los bancos son capaces de estandarizar la personalización. "Hay cierta fuerza que proviene no sólo del tamaño. Es una fuerza que proviene de las más altas normas de servicio personal y de experiencia mundial en los mercados financieros", declara un anuncio comercial del Deutsche Bank, y prosigue: "La tradicional modalidad individualizada del Deutsche Bank en la banca privada se ofrece ahora... en 28 países. Por eso la banca privada tiene un nuevo estándar en el mundo".

Hay quienes logran, con gran éxito, formar un sistema que facilita la individualización y la apoya. Providian Bancorp de San Francisco, antes First Deposit Corporation, es una de las empresas de crédito al consumidor más grandes, de más rápido crecimiento y más rentables de los Estados Unidos. Durante cuatro años consecutivos, ha ocupado el primero o segundo lugar en la lista de los Cien Más Rentables de *American Banker* para bancos con activos inferiores a los $5 billones. Providian ha formado su base de activos en sólo 10 años, éxito que su director ejecutivo Shailesh J. Mehta — analista por formación e inclinación — atribuye en gran parte a un singular enfoque de marketing.

Un gerente de marca tradicional se sentiría perdido en el departamento de comercialización de Providian. Las primeras diferencias, y las más evidentes, se presentan en la estructura de la organización. No se ven gerentes de marca ni de

EMPRESA	Providian Financial Corporation		
DIRECCIÓN	201 Mission Street, 28th Floor, San Francisco CA 94105 USA Teléfono: 415-543-0404 Fax: 415-278-6028 URL: http://www.providianfinancial.com		
NEGOCIO	Servicios financieros		
ESTADÍSTICAS	Empleados	1997	4 357
	Ventas anuales (miles)	1997	$1 217
	Resultados anuales (miles)	1997	$ 192
	Otros datos		Providian tiene 5 millones de cuentas individuales más $10 billones en saldos de tarjetas de crédito.

producto. En su lugar, Comercialización está organizado en tres grupos: Gestión de marketing, Relaciones con los clientes y Administración de riesgos.

Gestión de marketing es, en términos funcionales, lo más paralelo a una organización tradicional de administración de marcas. Su misión es identificar clientes nuevos (usuarios finales) y desarrollar nuevos productos, aunque la forma en que lo hace guarda escasa o ninguna semejanza con la comercialización tradicional.

Relaciones con los clientes se encarga de maximizar el potencial de los clientes actuales. Esta unidad se subdivide en gerentes de segmentos de clientes. Los segmentos se basan en la conducta de los clientes, no en los descriptores demográficos más comúnmente utilizados. "Los factores demográficos no son buenos indicadores del comportamiento de compra futuro", afirma Mehta. "Se pueden tener dos individuos demográficamente idénticos — mismo sexo, edad, ingresos y código postal — con necesidades y comportamientos enteramente distintos".

Administración de riesgos maneja las actividades típicas de aprobación de créditos y administración del portafolio de riesgos. Sus funciones son muy similares a las de otras instituciones financieras.

Ahora bien, por muy importantes que sean, estas gerencias no revelan lo que bien puede ser el mayor distintivo de todos: una filosofía profundamente distinta acerca de las marcas, la índole de las relaciones con los clientes y cómo establecer tales relaciones. Los comercializadores de Providian no pasan su tiempo formulando planes para la marca ni reuniéndose con la agencia de publicidad, sino que realizan análisis complejos del comportamiento de los clientes. De hecho, al contrario de muchos gerentes de marca que se precian de su conocimiento intuitivo del mercado, Providian se precia de sus herramientas analíticas de vanguardia, gracias a las cuales sus comercializadores pueden rastrear los patrones de uso y la rentabilidad de cada cliente para fijar los niveles de precios y servicios como corresponde. Providian dice: "No tenemos personal de tipo comercializador, sino estadísticos; el 95 por ciento de nuestro departamento de comercialización tiene formación de tipo analítico". Para Providian, los datos y la información son elemento esencial del proceso para tomar decisiones de comercialización basadas en conocimientos.

Con miras a atraer clientes nuevos, Providian comienza analizando atentamente a sus propios clientes, razonando que algún motivo debieron tener para escoger a Providian. Se concentra en identificar las características conductuales que los destacan del mercado general. Luego registra éste cuidadosamente en busca de clientes que correspondan a tales perfiles. En los últimos dos años Providian ha ampliado su modalidad original ofreciendo también productos cobrados para suplir necesidades específicas de los clientes.

El desarrollo de nuevos productos (NPD en inglés) es un papel clave asignado al departamento de comercialización de Providian. La empresa ofrece algunos de los productos más novedosos en la industria. Sin embargo, su proceso de NPD difiere mucho del proceso clásico impulsado por el mercado de bienes de consumo.

Las actividades cumplidas por el grupo de relaciones con los clientes de Providian no tienen equivalente en la mayor parte de las organizaciones de comercialización. El objetivo principal del grupo es administrar la relación de forma que maximice la tajada que corresponde a Providian del total de servicios financieros utilizados por cada cliente. Logra este cometido mediante la venta cruzada de productos adicionales y la oferta de servicio diferenciado y precios englobados.

Providian no desea tener todos los clientes que existen en potencia. Lo que hace es seleccionar a sus clientes individualmente, con cuidado, empleando modelos de selección propios y muy avanzados. Rastrea a los clientes durante años antes de solicitarlos. Espera que los clientes elegidos sean leales a Providian. Si la utilización de la tarjeta cae por debajo de los niveles deseados, Providian sube el precio deliberadamente, recorta los niveles de servicio o en algunos casos desmotiva al cliente activamente, ofreciéndole incentivos para reducir su utilización de los productos de Providian. Providian también es una empresa muy enfocada, que se concentra únicamente en los segmentos del mercado que comprende y que está estructurada para atender.

En esencia, Providian está ofreciendo un producto diseñado para cada cliente. Mehta se apresura a aclarar que Providian no es antimarca, sino que considera la marca como un medio para alcanzar un fin. El objetivo no es desarrollar la marca sino las relaciones.

Entre Providian y las organizaciones corrientes de gestión de marcas hay una diferencia final. Primero, Providian carece de un departamento convencional de investigación de mercados. Puesto que conoce a todos sus clientes por nombre y evita la mayor parte de las actividades clásicas de investigación de mercados (no hay grupos focales ni encuestas sobre actitudes), sencillamente no existe la necesidad. Además, los comercializadores de Providian son analistas competentes y los respaldan sistemas excelentes que ellos mismo utilizan para el análisis de los clientes. No precisan un intérprete entre ellos y el cliente. Los datos aprovisionan el análisis, y éste a su vez genera auténticas oportunidades así como relaciones con los clientes que son igualmente auténticas — y rentables.

Guerras de lealtad entre minoristas

En el mundo minorista hay muchos ejemplos de conceptos de canal novedosos. En el Reino Unido, por ejemplo, el poder ha pasado de los fabricantes de bienes de marca como Unilever a minoristas como Tesco.

Tesco se redefinió. Con ventas de aproximadamente $25 billones en 760 tiendas por todo el Reino Unido y Europa continental, Tesco controla el 15 por ciento de la industria de abarrotes en el Reino Unido, que vale $145 billones. Mediante una serie de innovaciones, Tesco se ha transformado de una aburrida empresa con rendimiento inferior al debido en una líder del mercado.

Primero, se dio cuenta de la tendencia hacia supermercados más grandes y los construyó. Luego emprendió una guerra de precios (con su Operación *Check-Out*). Luego marcó el ritmo en la lealtad del cliente: fue la primera cadena de supermercados que introdujo la tarjeta de lealtad en el Reino Unido. Luego agregó servicios financieros a su paquete de lealtad e introdujo una operación de compras electrónicas.

Al mismo tiempo, ha desarrollado marcas con su propia etiqueta para alejar a la competencia de las tiendas de descuento minoristas como Aldi y Netto. Tesco también fue la primera cadena de supermercados que conectó a sus proveedores dentro de un sistema de reposición completamente automatizado, y está formulando un avanzado programa de barrido con Siemens Nixdorf que reducirá los costos de capacitación de cajeros como en un 60 por ciento. "Es la ventaja del primero que se mueve", dice el director de informática Ian O'Reily. "Sabemos que le estamos ahorrando mucho trabajo a la competencia, pero lo hacemos por lograr la ventaja".

Continúa introduciendo nuevos formatos minoristas, como Tesco Extra, una tienda de tipo hipermercado que vende un amplio surtido de artículos no alimenticios al lado de los abarrotes tradicionales. También tiene un formato de tienda de compra rápida y, al menos en su mercado nacional, la innovación de vender gasolina en el lote de estacionamiento. "Ritmo, riesgo, progreso. Todas son cosas que caracterizan a Tesco", dice O'Reily.

Campeones de los canales: Wilsonart International

Formica Corporation popularizó sus laminados decorativos con tanta eficacia que el nombre de la empresa se convirtió en sinónimo del producto. Dominó la industria desde sus inicios en 1913 hasta el decenio de los setenta. No obstante, Formica ocupa hoy un lejano segundo lugar en el mercado estadounidense, el cual suma $1,5 billones.

El factor principal de la regresión de Formica es Wilsonart (división de Premark International). Fundada en 1956, Wilsonart es la actual líder en el mercado estadounidense. Aunque Formica aprovechó las economías de escala y el fuerte patrimonio de su marca, los precios y márgenes de utilidad comenzaron a sufrir presión a medida que la industria maduraba y afrontaba competencia nueva. Por otra parte, con la creciente variedad de productos y de usos de los laminados, la clientela llegó a fragmentarse mucho. Actualmente se venden laminados decorativos a muchos y diversos clientes, desde OEM* de alto volumen hasta grandes contratistas comerciales o individuos que desempeñan trabajos diversos. Estos clientes diferentes necesitan, naturalmente, servicios y respaldo bien distintos. Wilsonart pudo aprovechar esta dinámica del mercado ofreciendo servicio al cliente mediante un canal que supliera mejor las necesidades de servicio de los diversos segmentos del mercado.

Wilsonart decidió dirigirse a los segmentos de clientes finales residenciales y comerciales, segmentos éstos con una sensibilidad relativamente alta a los plazos de entrega. Fundada sobre la base de un servicio excepcional a los clientes y entrega pronta, la empresa se lanzó con la promesa de entregar el producto laminado a cualquier punto de los Estados Unidos en un plazo de 10 días o menos. Comprendió que para lograr tal meta precisaba un canal de distribución extremadamente eficaz y de gran respaldo, cometido grande para un David (así se veía) contra un Goliat como Formica. Si pretendía ejecutar su estrategia con éxito, Wilsonart tendría que asociarse con distribuidores que se dedicaran sin ambigüedades al servicio y la satisfacción de los clientes.

Para atender a los clientes residenciales y comerciales, Wilsonart diseñó toda su cadena de abastecimiento en torno a la capacidad de respuesta. Montó un sistema de

---

* OEM, Original Equipment Manufacturer: fabricante de equipo de marca. *(Nota del editor.)*

almacenes regionales capaces de entregar producto en existencia a los distribuidores locales en el término de un día. Diseñó sus procesos de producción con miras a entregar en 10 días los pedidos no sólo de artículos fuera de existencias sino de artículos no corrientes. Si no puede cumplir dentro de este plazo, le notifica al cliente. Wilsonart se esfuerza constantemente por mejorar la capacidad de respuesta de su empresa ampliada vigilando atentamente medidas como el tiempo transcurrido entre el momento en que el pedido abandona la última mesa del proceso de fabricación en la planta y el momento en que llega donde el cliente.

El canal de distribución es parte vital de la fórmula de Wilsonart. Wilsonart escoge y administra a sus distribuidores de una manera extremadamente concienzuda. Los escoge cuidadosamente por la predisposición que tengan a prestar un servicio excepcional a los clientes, pues Wilsonart considera que es prácticamente imposible alterar el carácter de un distribuidor si éste no siente un compromiso por naturaleza para con el servicio al cliente. Todos sus distribuidores son exclusivos y muchos deben su existencia al apoyo económico y a la ayuda para el negocio brindados por Wilsonart. Wilsonart ha forjado su relación con su canal basado en una filosofía sencilla: si el fabricante o el distribuidor se siente descontento en cualquier momento, puede dar por terminada la relación unilateralmente. Resulta, sin embargo, que tales divorcios casi nunca se presentan.

Wilsonart ha desarrollado procesos de manejo de distribuidores excepcionalmente avanzados. La empresa se concentra sin descanso en los impulsores cuantificables del desempeño del distribuidor — que a su vez ayudan a reforzar la satisfacción del cliente final. Wilsonart define sus expectativas para los distribuidores en términos explícitos. Capacita a su personal para que se ocupe de estos aspectos del desempeño cada vez que se comunique con los distribuidores. Algunos ejemplos de estas medidas del desempeño y de los objetivos mínimos para cada distribuidor son: participación del 45 por ciento del mercado, margen de utilidad bruta del 26 por ciento, ocho a diez rotaciones del inventario por semana, tres entregas semanales a cada cliente y cumplimiento del 98 por ciento en la entrega de pedidos.

Los distribuidores aportan a las actividades de planificación estratégica en Wilsonart y la empresa alínea sus estrategias de comercialización en diferentes territorios basada en los aportes de los distribuidores. Los distribuidores también participan en un concienzudo ejercicio anual de planificación para formular compromisos de desempeño acordados y para coordinar actividades del canal, como son las promociones. Durante tal proceso, se evalúa atentamente a los distribuidores en un examen de tres días. Wilsonart puede incluso contratar investigación externa para realizar una evaluación independiente y objetiva de ciertas medidas de difícil determinación, por ejemplo la tajada del mercado que correspondería a los distribuidores en cada uno de los bien definidos segmentos de clientes.

En un principio, la innovación de productos no había sido una capacidad diferenciadora para Wilsonart. Incluso, la empresa se consideraba seguidora, si bien rápida, en la innovación de productos. Sin embargo, con su gran capacidad para escuchar a sus clientes leales, Wilsonart se animó oyendo las peticiones de éstos en el sentido de que ampliara su línea de productos para tener en cuenta las crecientes necesidades del cliente final. Ante las instancias de su clientela, Wilsonart decidió ofrecer un surtido de productos más variado que el de cualquiera de sus competidores. Incluso, se decidió a ser el primero en el mercado con un laminado de un solo color. Esto fue un complemento a las ventajas que ya tenía en materia de servicio al cliente y entrega, y resultó ser especialmente valioso para buena parte de su mercado-objetivo: los segmentos residencial de alto nivel y comercial.

Hoy Formica sigue siendo el productor más grande del mundo; sin embargo, Wilsonart lo opaca en el mercado de los Estados Unidos (ver gráfica 4.1). Debe

Gráfica 4.1. Laminados decorativos: historia de la participación en el mercado estadounidense

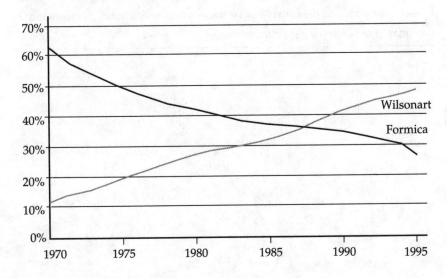

Fuente: Estimativo tomado de entrevistas con la industria.

señalarse que una parte del bajón de Formica se debe, sin duda, a las muchas perturbaciones en la gerencia y propiedad que han aquejado a la empresa. Es interesante señalar que después del último cambio de propietarios, Formica ha indicado que se concentrará en forjar relaciones de valor agregado con sus distribuidores.

Canales de Wilsonart

- *Segmentación.* Wilsonart demuestra un concepto de canal concentrado en segmentos que consideran importante el servicio al cliente.
- *Capacidad de respuesta.* Wilsonart sigue acrecentando su tajada del mercado en los Estados Unidos porque, comparado con sus competidores, su entrega del producto al cliente final refleja una respuesta mucho más eficaz. Su cadena de abastecedores y sus capacidades en materia de canales le permiten satisfacer los pedidos de sus clientes en el plazo de 10 días (menos de un día en la mayoría de los casos).
- *Asociaciones de trabajo.* Wilsonart se ha creado una firme reputación de atender a sus distribuidores, y esto le ha valido una alta lealtad de los integrantes del canal. Los distribuidores, a su vez, tienen fama de consentir a sus clientes con un servicio extraordinario. Wilsonart trabaja con sus asociados de los canales a fin de satisfacer las necesidades de servicio de sus clientes-objetivo. La concentración constante en la eficiencia y eficacia del canal ayuda a sus distribuidores a trabajar con ahínco para mantener contentos a los clientes finales.

Campeones de los canales: AutoNation traza el derrotero

En concepto de algunos, AutoNation estaría encabezando la evolución de las ventas minoristas de automóviles. No hay duda de que AutoNation — el más grande tenedor de concesionarios de automóviles nuevos en los Estados Unidos, casa matriz de la cadena de megatiendas de autos usados AutoNation USA y dueño de múltiples compañías de alquiler de automóviles — se ha adelantado a los demás. Pero no creemos que haya demostrado, hasta la fecha, los cambios radicales necesarios para sobresalir en la venta de automóviles al por menor.

Evidentemente, AutoNation es líder en la primera etapa de la reestructuración de canales, alcanzando reducciones forzosas de costos mediante una vigorosa racionalización y consolidación. La mayoría de los observadores de la industria automotriz ven a AutoNation como un leviatán que se devora a voluntad a los concesionarios de automóviles. En los tres primeros trimestres de 1998 anotó ingresos de $12,7 billones, un aumento del 72 por ciento comparado con los $7,4 billones en los tres primeros trimestres de 1997. Sus ingresos por concepto de operaciones continuadas en el mismo período sumaron $384,2 millones, un aumento del 68 por ciento desde 1997. Aproximadamente el 92 por ciento de sus entradas económicas y el 78 por ciento de sus ingresos de operación corresponden a las operaciones automotrices; sus servicios de desechos sólidos aportan el resto.

Además, y como suele suceder con los innovadores minoristas, AutoNation se está esforzando ahora por mejorar la experiencia de compra y propiedad de automóviles de sus clientes. En septiembre de 1998 anunció que no vendería automóviles al modo antiguo en Denver. Bajo el plan de Denver, AutoNation pasará a la modalidad de un solo precio, sin negociación, similar a la encabezada por la división de Saturn de GM. Pero AutoNation va más allá de Saturn. Anunció que ofrecerá a sus clientes prerrogativas de tipo membresía que les darán acceso a una amplia gama de opciones en materia de compras minoristas de automóviles, servicios y financiación, junto con descuentos sobre alquiler de vehículos y otros productos y servicios afines. A medida que desarrolla su programa, AutoNation dice que introducirá una alternativa integrada de compra por comercio electrónico y un centro completo de servicio al cliente. Piensa extender el programa por toda la nación, a las más de 350 franquicias que ha adquirido desde 1995.

"Los clientes están cansados del modelo de ventas de alta presión y baja satisfacción", dijo el presidente Steven R. Berrard. "Quieren un proceso de ventas

EMPRESA	AutoNation, Inc.		
Entre las subsidiarias se incluyen	Alamo Renta A Car National Car Rental System CarTemps USA		
DIRECCIÓN	110 SE Sixth Street, Fort Lauderdale FL 33301 USA Teléfono: 954-769-6000 Fax: 954-769-6408 URL: http://www.autonation.com		
NEGOCIO	Minorista especializado — automóviles		
ESTADÍSTICAS	Empleados	1997	56 000
	Ventas anuales (miles)	1998	$17 487
	Resultados anuales (miles)	1998	$ 499
	Otros datos	Es el concesionario de automóviles más grande de los Estados Unidos y la principal empresa de alquiler de automóviles en ese país.	

sencillo y menos demorado. Quieren formularios fáciles de comprender. Quieren un servicio que se preste correctamente la primera vez. Quieren un proveedor que respalde el producto, viajen a donde viajen. Y la mayor parte de los consumidores buscan un ambiente de ventas sin negociación, de un solo precio, siempre y cuando estén seguros de que tal precio es a la vez competitivo".

La mayor parte de los fabricantes de vehículos en los Estados Unidos y Europa han efectuado estudios de referencia de AutoNation. Algunos, como General Motors Corporation, Ford Motor Company, Mercedes Benz y Nissan han establecido convenios de franquicia formales e incluso relaciones de negocios con AutoNation. (En junio de 1998, por ejemplo, Ford acordó asociarse con AutoNation para formar una red de minoristas Ford en Rochester, Nueva York. AutoNation está administrando los nueve concesionarios en Rochester y es dueño del 49 por ciento de esta empresa conjunta. Algunos fabricantes, como Honda Motor Company, Toyota Motor Corporation y Nissan Motor Company se opusieron al principio a las proposiciones de AutoNation ante los tribunales y dependencias estatales. Sin embargo, cada uno ha terminado por llegar a algún entendimiento con AutoNation.

Gran parte del progreso de AutoNation recuerda hasta ahora la evolución natural de la industria minorista que ha ocurrido en un gran número de categorías de bienes duraderos para consumo. En tales categorías, los minoristas inteligentes y agresivos han generado formatos "matadores en su categoría" que ofrecen a la vez costos bajos y un surtido mejor. Ejemplos de los matadores en su categoría son Home Depot (productos para refacción de casas) y Circuit City Stores (electrodomésticos y aparatos electrónicos de consumo). (De hecho, fue Circuit City quien inventó CarMax Group, la primera cadena de supertiendas de automóviles usados.)

Nuestra evaluación del crecimiento de estos formatos matadores en su categoría revela que se caracterizan por una experimentación muy considerable, no necesariamente por grandes éxitos y ganancias en sus primeras etapas de desarrollo. Sin embargo, una vez perfeccionado el formato estos minoristas reproducen sus expendios rápidamente en muchos mercados. Cuando los observadores miran los dolores financieros del crecimiento de AutoNation y aseguran que la empresa está tropezando y que dejará de ampliarse, están desconociendo las lecciones del pasado.

El negocio de automóviles usados de AutoNation ofrece un ejemplo de este proceso de adaptación en la primera fase. En los últimos dos años, la creciente oferta de automóviles de turismo usados y la competencia acentuada de vendedores minoristas de automóviles usados han determinado una reducción en los precios, la cual obligó a AutoNation a mejorar sensiblemente sus operaciones minoristas. Redujo el personal de sus tiendas en promedio en un 20 por ciento, refinó el aspecto económico de su reacondicionamiento y su surtido de vehículos y ha traído una gerencia nueva para seguir perfeccionando el formato y extenderlo al resto de la empresa. No obstante la presión de los precios, las ventas han aumentado a un ritmo siempre creciente, como se ve en la gráfica 4.2.

La segunda etapa de la evolución minorista la impulsa el reconocimiento —nue- vamente de parte de los minoristas inteligentes y no de los fabricantes— de que los consumidores difieren en el modo en que desean comprar y poseer sus productos. Ello lleva a la creación de múltiples formatos y canales de distribución, cada uno con paquetes individualizados de servicios y aspectos económicos afines. Tales formatos pueden coexistir unos con otros porque los consumidores escogen el formato más

Gráfica 4.2. Ventas de AutoNation

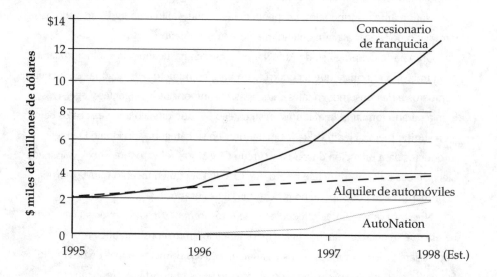

indicado para sus necesidades. Éstos pueden variar desde marca exclusiva y servicio muy alto hasta servicio mínimo, amplio surtido y precios bajos. Por ejemplo, Home Depot está tratando de captar segmentos adicionales del mercado con canales y formatos nuevos, como su formato de diseño de exposición, ferreterías locales, servicios de instalación a domicilio y ventas por Internet. En las categorías de bienes de consumo duraderos, el formato matador en su categoría suele captar entre el 30 y el 40 por ciento del mercado, dejando el resto disperso entre dos o tres formatos más.

AutoNation parece reconocer estos requisitos de la segunda etapa, al menos en lo que respecta a automóviles usados. En abril de 1998 adquirió Driver's Mart Worldwide. El concepto de Driver's Mart difiere del de AutoNation en una mayor participación del operario local, mejores procesos de venta y reacondicionamiento y lotes más pequeños con inventarios menores. AutoNation también ha ensayado un formato llamado Value Stop (automóviles más viejos, precios más bajos), así como un centro en Houston dedicado a camiones, camionetas y vehículos deportivos y utilitarios con la marca AutoNation.

La tercera etapa de la evolución minorista encierra un cambio del paradigma fundamental de las ventas al por menor. El paradigma imperante en la industria automotriz es que las fabricantes de automóviles diseñan y construyen autos mientras que los concesionarios los distribuyen y mantienen. Una alternativa es el paradigma de que los fabricantes de automóviles están en el negocio de crear haberes económicos, los cuales han de administrarse mientras dure su vida activa a fin de crear y captar valor. El *leasing* obliga a los fabricantes a afrontar este nuevo paradigma por cuanto los automóviles permanecen en los libros de sus empresas financieras captadoras, y algunos de los fabricantes de automóviles más creativos están comenzando a pensar en cómo explotar más plenamente su valor. Con su extensa base de negocios y múltiples operaciones automotrices (concesionarios, megatiendas de coches usados y automóviles de alquiler), AutoNation está en capacidad de ensayar y encabezar tales conceptos nuevos, como pocos en la industria pueden hacerlo. AutoNation también aporta otros elementos críticos: la perspectiva de un tercero y el espíritu innovador.

Hasta la fecha, AutoNation se ha concentrado principalmente en buscar los beneficios de la consolidación (como suele suceder en la primera etapa de la evolución de los canales minoristas). La gráfica 4.3 presenta un diagrama de su actual sistema de negocios. Pero algunas de sus acciones sugieren la posibilidad de una

Gráfica 4.3. Sistema de Negocios de AutoNation, National y Alamo

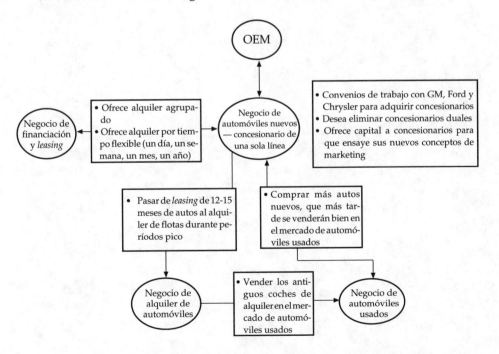

evolución minorista que realmente altere las reglas del juego. Cuando en la evolución minorista salen ganando los protagonistas del canal y no los fabricantes, suele suceder que quien encabeza la primera etapa acaba encabezando las etapas siguientes y cosechando beneficios grandes. AutoNation podría ser el primero en la industria automotriz que cree una marca minorista independiente que realmente sea "propietaria del cliente".

Canales de AutoNation

- Redefinir el negocio más allá del paradigma tradicional de la venta de transacciones.
- Experimentar continuamente y refinar las operaciones y los formatos de los canales.
- Adquirir y asociarse con canales a fin de ampliar las ofertas y el aprendizaje.

Capítulo 5

Tercer Paso:
Hacer pruebas piloto

Para tener una buena idea, lo mejor es tener muchas ideas.

—Dr. Linus Pauling

Trátese de un canal enteramente nuevo o de una red que ha evolucionado cuidadosamente, siempre conviene hacer una prueba piloto antes de lanzarse.

Las pruebas del nuevo canal nos permiten refinar el aspecto económico y el posicionamiento competitivo de los conceptos del canal: estructuras, servicios y sistemas operativos.

En una situación ideal, la prueba piloto estará lo más aislada posible del negocio principal. El objeto es ante todo minimizar la posibilidad de una reacción anticipada de parte de los clientes o proveedores. La prueba debe realizarse en la periferia del mercado a fin de minimizar las reacciones de los competidores hasta que el modelo de negocios que pretendemos desarrollar se encuentre ya robusto.

MONTAJE DE LA PRUEBA

Al hacer una prueba piloto de un concepto de canal, es preciso considerar varios puntos:

El equipo de personal básico. Debe haber un equipo básico que tenga la responsabilidad general de hacer funcionar el trabajo piloto y de vigilar la experiencia y aprender de ella.

Identificación de sedes. La identificación de aquellas áreas del negocio donde se realizará la prueba piloto reviste una importancia crucial. Es evidente que algunas ofrecen mejores probabilidades de éxito y aprendizaje que otras. Es importante establecer criterios de selección claros a fin de generar una lista final (cuatro o cinco posibilidades). Entre los criterios se incluirían aspectos como geografía, potencial de mercado, propensión al cambio, energía y desempeño de los ejecutivos y el personal, e infraestructura local.

Identificación de recursos. Las pruebas piloto exigen recursos humanos y económicos en un grado que varía, evidentemente, de una prueba a otra. Es necesario delinearlos claramente. Además, hay que pesar los costos contra los posibles beneficios medidos. En cierta prueba piloto donde trabajamos, había 12 a 14 personas que laboraban tiempo completo supervisando la iniciativa. Las responsabilidades se repartieron según las líneas siguientes: había un equipo básico y comité directivo formado en general por ocho personas, más un solo gerente general del programa, un gerente encargado de la estrategia de comunicaciones, uno para funciones, responsabilidades e incentivos, uno para escoger los negocios piloto y otro para encargarse de los aspectos operativos cotidianos.

En lo que respecta a recursos humanos, es importante ceñirse a una serie de principios básicos:

- La prueba piloto debe reunir el mejor personal, no el que se pueda liberar con más facilidad de sus tareas habituales.

- Es preferible un grupo administrativo dedicado, concentrado exclusivamente en alcanzar el éxito de la prueba piloto, que con un compromiso de tiempo parcial y una convicción de tiempo parcial.

- El personal debe escogerse por su capacidad para cumplir labores detalladas y de ejecución, más que por sus conocimientos especializados o
  control sobre los recursos.
- La prueba piloto necesita un sistema protector inherente para que el
  personal seleccionado no se vea obligado a regresar a sus responsabilidades anteriores.
- Otras características esenciales del personal son entusiasmo, espíritu
  empresarial, ingenio para resolver problemas, facilidad de adaptación al
  cambio y perseverancia y capacidad de superar barreras.

Comunicaciones. En todas las etapas es esencial comunicarse en un
lenguaje sencillo y de fácil comprensión. El proceso entero ha de ser uno de
discusión y retroinformación. Tiene que haber un diálogo continuo entre el
equipo básico y quienes participan en la prueba. En particular, la comunicación debe reforzar la confianza en la prueba piloto y su concepto rector.
También debe resaltar las conquistas significativas y el progreso.

Las comunicaciones internas comienzan con la conscientización en
la etapa inicial. Ello posiciona la iniciativa desde una perspectiva estratégica,
reafirma los principios de la empresa, provee datos específicos sobre lo que
va a suceder y anuncia el respaldo de la alta gerencia. Durante la prueba
piloto, la comunicación interna pondrá énfasis en los detalles sobre la
orientación del proyecto, resaltando el compromiso de la alta gerencia para
con el esfuerzo, reafirmando el razonamiento estratégico, delineando el
marco de referencia y el proceso que se está empleando y resaltando el
progreso y las conquistas. Por último, si la prueba piloto se hace extensiva a
otras partes, las comunicaciones resaltarán el compromiso de la alta
gerencia, el razonamiento y las implicaciones de una aplicación más amplia
y los detalles de capacitación.

El énfasis general recaerá sobre la retroinformación rápida. Ésta se
facilita limitando a dos o tres el número de pruebas piloto, autorizando a los
encargados para efectuar cambios y adaptar parámetros a medida que
avancen y estableciendo un proceso de retroinformación claramente defi-
nido.

Toda comunicación se ceñirá a ciertos principios fundamentales:

- *Relacionar los mensajes con el propósito y la orientación estratégicos.* El programa se sitúa en un contexto, de modo que los empleados comprendan por qué es necesario y se le imprima credibilidad al proceso.

- *Ser sincero y abierto.* Resulta imprescindible, a fin de conservar la credibilidad. (Abierto no significa que toda la información esté al alcance de todo el mundo en cada paso. Pero sí significa que todos los participantes necesitan retroinformación sincera por los conductos oficiales acerca del estado de la prueba, si va bien o mal; el correo de las brujas seguramente llevará esta última información y los patrocinadores perderán toda credibilidad si se alejan demasiado de la realidad.)

- *Fijar expectativas realistas.* Hay que plantear las posibles implicaciones desde el comienzo, sin hacer caso omiso de mensajes que puedan ser negativos; deben darse a conocer los parámetros y límites a fin de que no se esperen los peores resultados.

- *Facilitar la comunicación de doble vía.* Tiene que haber oportunidades para que los empleados sometan las preguntas que realmente tengan y ofrezcan sus ideas.

- *Resaltar la necesidad de actuar en vez de reaccionar.* Los mensajes se enviarán por anticipado, antes que cunda la alarma o la protesta. Es preciso evitar las actitudes defensivas.

- *Enviar los mismos mensajes reiteradamente por diversos conductos.* Con frecuencia sucede que los individuos necesitan escuchar un mensaje varias veces para asimilarlo. Ello se facilita empleando múltiples medios.

Identificación del proceso. Las pruebas piloto no pueden existir en el vacío. Si los participantes creen que la prueba no conducirá a iniciativas más amplias, ésta ya ha muerto. Por tanto, hay que exponer un proceso claro y darlo a conocer.

En general, la primera etapa de la prueba piloto debe echarse a andar con fuerza e imprimirle su ímpetu inicial. Se pone énfasis en la creación de comunicaciones directas con todos los interesados y en la definición de papeles, responsabilidades e incentivos. En esta etapa conviene formular una visión para la prueba piloto que identifique el marco de referencia, el proceso, los análisis necesarios y los elementos clave del programa.

Las etapas subsiguientes también deben detallarse cuidadosamente, dando a conocer sus plazos y contenido.

La segunda etapa presenta la operación de la prueba piloto. Aquí el énfasis está en rastrear, vigilar y medir.

Por último, es preciso determinar el valor de la prueba piloto medido contra objetivos acordados.

Consciencia de los peligros. Siempre es difícil, y a veces imposible, realizar un cambio. Es importante identificar los posibles peligros y obstáculos que impedirían el éxito de la prueba piloto. Debe recordarse, por ejemplo, que los humanos somos criaturas de hábito y reacios al riesgo. Además, es posible que falten las habilidades y la confianza necesarias. Quizá se requieran incentivos. Al mismo tiempo, debe reiterarse continuamente que el cambio exige un compromiso y una inversión considerables y que los resultados tangibles tardarán en materializarse.

Campeones de los conductos: Wal-Mart

En 1988 Europa estaba salpicada de un número creciente de lo que se llamaron hipermercados. La idea para este formato minorista provino del minorista europeo Carrefour en 1962. Para 1988 estaba administrando 73 hipermercados por toda Europa, y el número total era de 780. La idea detrás de los hipermercados era sencilla: las tiendas vendían abarrotes y otros bienes generales bajo un mismo techo, aunque éste tenía que ser grande. Los clientes podían hacer su mercado semanal y a la vez comprar alguna ropa o artículos para el hogar.

Al mismo tiempo, varias cadenas estadounidenses, entre ellas Fred Meyer y Meijer, ofrecían este tipo de compras combinadas. Wal-Mart, el minorista predominante de mercancías generales, observaba las posibilidades con entusiasmo creciente. La abertura de una operación combinada de mercancías y abarrotes le daría acceso al fragmentado sector de abarrotes y con esperanza mejoraría su desempeño

EMPRESA	Wal-Mart Stores		
Entre las subsidiarias se incluyen	North Arkansas Wholesale, Inc., Bentonville, Arkansas Wal-Mart Realty Company, Bentonville, Arkansas McLane Company, Inc., Temple, Texas Cifra S.A. de C.V. (51%), Ciudad de México, México		
DIRECCIÓN	702 SW Eighth Street, P.O. Box 116, Bentonville AR 72712 USA Teléfono: 501-273-4000 Fax: 501-273-1917 URL: http://www.wal-mart.com		
NEGOCIO	Mercancías en general		
ESTADÍSTICAS	Empleados	1998	910 000
	Ventas anuales (miles)	1998	$137 634
	Resultados anuales (miles)	1998	$ 4 430
	Otros datos	Nombres de marca: Sam's Club, Hypermart USA, Bud's Warehouse Outlets	

en el sector de mercancías generales con descuento. Combinando los dos, la empresa tendría la oportunidad de proseguir su rápida expansión. A la sazón, Wal-Mart controlaba el 50 por ciento del negocio de tiendas de descuento que valía $150 billones. Otro 32 por ciento de la industria estaba bajo el control de K-mart y Target. Toda tajada adicional del mercado sería de difícil conquista.

En cambio, la venta de abarrotes al por menor era atractiva. Wal-Mart vio que esta industria de $400 billones era sumamente interesante — y fragmentada. La mayor cadena de supermercados, Krogers, controlaba apenas el 6 por ciento del mercado y las primeras 10 cadenas sumaban sólo el 19 por ciento del mercado.

El lado negativo de la venta minorista de abarrotes era simplemente que los márgenes de utilidad resultaban bajos. Había posibilidades de expansión pero los expendios limitados a abarrotes siempre sufrirían el lastre de los bajos márgenes de la industria. Sin embargo, Wal-Mart vio un mensaje más positivo en este panorama: los consumidores visitan las tiendas de abarrotes más frecuentemente que las tiendas de mercancías generales. Si se brindaba la oportunidad para que los clientes atravesaran el pasillo y compraran algunas mercancías generales, podría resolverse el dilema de los bajos márgenes en la industria de abarrotes y de la competencia intensa en la mercancía general.

En 1987 Wal-Mart había efectuado ensayos con Hypermart USA. Trajo peritos en abarrotes y algunas empresas de abarrotes como socias, culminando con la compra en 1991 de McLane & Co., un mayorista de abarrotes y mercancías generales.

Mientras iba adquiriendo los conocimientos necesarios, Wal-Mart siguió avanzando con tres hipermercados más en los años subsiguientes. Las tiendas eran enormes — 20 439 metros cuadrados — complicadas, costosas y de ganancias bajas. Pero la empresa se conformaba con aceptar que se trataba de pruebas piloto para una experiencia real. Hizo hincapié en el aprendizaje rápido y el crecimiento lento, con mucho reajuste y refinamiento en el camino.

Los primeros Hypermarts arrojaron variedad de lecciones, que se aprovecharon cuando Wal-Mart abrió su primer Supercenter en Washington, Missouri, en marzo de 1988. La nueva tienda era más pequeña que el formato de Hypermart. Siguieron otras. En los dos años siguientes, se construyeron cinco Supercenters más en Missouri, Oklahoma y Arkansas. El más pequeño medía 8 361 metros cuadrados y el más grande, 15 794.

Con seis Supercenters y cuatro Hypermarts ya andando, la prueba piloto estaba bien encaminada y Wal-Mart podía comprender plenamente la posible propuesta de negocios y los problemas potenciales al introducir el formato combinado. Un reto notable tenía que ver con el inventario. Wal-Mart estaba acostumbrado a llevar 60 días de inventario de mercancías generales. En el negocio de abarrotes, 25 días de inventario era lo normal, y menos de 10 días para carne y demás productos frescos. En respuesta, Wal-Mart mejoró su capacidad de gestión de inventarios y creó sistemas de fabricación en ciertas áreas.

Las pruebas piloto de tal magnitud no son baratas. Wal-Mart tuvo que pasar cuatro años ensayando antes de lanzarse con los Supercenters. Entre 1992 y 1998 construyó 558 tiendas de este tipo. La extensión fue rápida. Cada tienda iba aprovechando las lecciones aprendidas en la fase piloto de comienzos de los noventa.

Por ejemplo, Wal-Mart formó su propia red de distribución de alimentos en vez de depender de otros distribuidores, y sus ingenieros y grupo de construcción aprendieron de los profesionales en tiendas de abarrotes la manera de construir tiendas apropiadas para este nuevo fin y más baratas que las construidas por la competencia. La comercialización de prueba prosigue todavía, por lo cual el aprendizaje y el mejoramiento son continuos.

El resultado final es que en 1998 Wal-Mart vendió $32 billones en abarrotes, ocupando el tercer lugar entre los operarios más grandes de supermercados y, según proyecciones, para el año 2002 será el más grande. En 1999 Wal-Mart se proponía abrir 150 Supercenters más, 90 de ellos en reemplazo de tiendas de descuento actuales. La relación simbiótica entre los abarrotes y las mercancías generales se ha confirmado en gran medida. Las ventas de mercancías en general en las supertiendas son 30 veces superiores a aquéllas de las tiendas de descuento.

Ahora Wal-Mart está realizando pruebas piloto con otro formato nuevo. Se trata de Wal-Mart Neighborhood Markets, supermercados aislados, con un área cercana a los 3 700 metros cuadrados. Ya ha abierto tres.

Canales de Wal-Mart

- Prever un crecimiento lento en la fase de prueba piloto.
- Estructurar la prueba piloto con miras a aprender mucho y recoger conceptos.
- Invertir lo bastante en la prueba piloto para asegurar que no se distorsionen los resultados por escasez de recursos y que se investigue suficientemente el concepto.
- Dedicar empleados de la empresa a la prueba piloto, a fin de aprender y captar lecciones importantes para cuando se extienda el concepto.

SPOD CON TODO

A comienzos del decenio de los noventa, y pese a que batía periódicamente las marcas para ventas trimestrales, McDonald's, el gigante de las hamburguesas, vio que estaba perdiendo su tajada del mercado. Había descendido del 18,8 por ciento en 1986 al 16,2 por ciento en 1990 y seguía cuesta abajo. Se imponían algunas medidas, pero el cometido sería difícil. Aunque McDonald's era dueño del 40,4 por ciento del negocio de hamburguesas en los Estados Unidos en 1993, ello no era gran consuelo ya que el segmento en general estaba creciendo mucho más lentamente que los de pizza y comidas típicas, de reciente popularidad.

McDonald's deseaba formular un estrategia para agregar vigorosamente expendios y diferentes tipos de tiendas con miras a recuperar la parte del mercado que había perdido a finales de los ochenta. ¿En dónde buscar? Decidió ampliar sus canales para incluir otros no tradicionales, como las tiendas de compra rápida y las estaciones de gasolina. Mediante alianzas con Wal-Mart y empresas petroleras grandes, McDonald's pudo ensayar sus Puntos Especiales de Suministro (SPOD en inglés) por medios bien organizados y establecidos.

La combinación de comidas rápidas y gasolina estaba surgiendo por todo el territorio nacional. A lo largo y ancho de los Estados Unidos, Taco Bell, Subway, Burger King y Kentucky Fried Chicken se asociaron con las grandes empresas de gasolina como Chevron, Texaco, Amoco, Exxon y Unocal. "Nuestra alianza con las petroleras significa lo máximo en comodidad", anunció McDonald's. "En estos locales se encontrará un restaurante McDonald's de carta completa con servicio rápido, junto con una estación de servicio y una tienda de compra rápida. No puede haber nada más cómodo, pues en una sola parada se puede tanquear el automóvil, comer y comprar lo necesario para llevar a casa".

McDonald's se unió a la multitud, extendiendo sus expendios expresos dentro de otras tiendas minoristas o anexas a ellas. Con una modalidad de dos puntas, la cadena incluyó en su plan de desarrollo tanto operaciones de satélite y kiosco como los expendios tradicionales. Edward Rensi, entonces presidente y director ejecutivo para operaciones nacionales, señaló que la empresa buscaba una participación del 7 por ciento del mercado en expendios no tradicionales, lo cual sumaría ventas adicionales de $3 billones.

En McDonald's, el paso hacia canales no tradicionales parecía impulsado en gran parte por dos factores. El primero era la escasez de locales de primera para unidades tradicionales solitarias. El segundo era el deseo, tanto de la empresa de comida rápida como de su asociado, de compartir los costos de operación y conseguir locales para sus productos al lado de los de otras marcas fuertes y atractivas para la clientela.

La industria vio muchas oportunidades para los nuevos puntos de distribución y canales no tradicionales. Algunos ejemplos sobresalientes fueron hospitales, estadios deportivos y carreteras. "Todo operario de comidas de marca que deseaba entrar en el negocio de tiendas de marcas compartidas difícilmente encontraría un momento más oportuno o un terreno más fértil del que hoy existe", dijo Jim Mitchell, presidente de Mitchell Design Group, en 1994. Para los viajeros, las tiendas de marcas compartidas en las estaciones de gasolina ofrecían una nueva modalidad de compras en una sola parada. Para los dueños de franquicias y concesionarios de estaciones de gasolina, significaba costos iniciales más bajos y gastos compartidos.

Algunos en la industria predecían un crecimiento de dos dígitos para el segmento. Estos restaurantes SPOD ofrecen muchos beneficios adicionales. Los aeropuertos, por ejemplo, son una gran fuente de aprendizaje, dice Bob Scanlon, vicepresidente para SPOD en Quizno's. "Los aeropuertos nos enseñan a ser mucho más eficientes. La propiedad raíz en los aeropuertos es costosa, y los concesionarios tienen que aprender a presentar su concepto eficientemente en locales más pequeños. Las lecciones aprendidas en las franquicias de aeropuertos pueden aplicarse en toda la cadena también. Las empresas están concentrándose en las necesidades del viajero, como velocidad, comodidad, acceso y producto de calidad, y luego aplican esos conceptos a sus tiendas tradicionales". Scanlon también ve los locales de los aeropuertos como "vallas publicitarias" para sus locales en la calle. Otro ejecutivo en la industria considera que el negocio está creciendo al acercarse más al cliente. "Cuanto más se acerque el producto al consumidor, más se vende", dice David Hawthorne de Lewis Foods. Además, tales expansiones significan una mayor penetración de los dueños de franquicias en el mercado.

El desarrollo del canal SPOD por parte de McDonald's comenzó en enero de 1993, cuando abrió un restaurante pequeño en una tienda Wal-Mart en Visalia, California. Para fin de año, había unos 70 restaurantes dentro de tiendas Wal-Mart, y para finales de 1995 el número de instalaciones satélite ascendía a 400. McDonald's pasó a abrir restaurantes en varios locales no tradicionales, entre ellos aeropuertos, trenes, barcos de crucero, zoológicos, museos, plazas de peajes de carreteras, ciudades universitarias, hipermercados y tiendas de departamentos. Un primer intento de montar un SPOD en un aeropuerto alcanzó un éxito moderado a causa de un menú sumamente limitado. Pese al aspecto conocido del expendio, ofrecía perros calientes en vez de hamburguesas. Tras conversaciones con Home Depot, aparecieron Big Macs en algunos de los centros de materiales para refacción de casas. Otros SPOD singulares son las Cajas Felices para niños que se ofrecen en vuelos de United Airlines, en los trenes del Ferrocarril Federal Suizo, en un transbordador que atraviesa el Canal de la Mancha y en una pista de patinaje en el hielo en Wisconsin.

Para McDonald's, las dos alianzas clave fueron con Chevron y Amoco. A finales de 1997, McDonald's había establecido 68 locales de marcas compartidas con Chevron, la mayoría de ellos en la región occidental y suroccidental de los Estados Unidos, así como 89 locales compartidos con Amoco en el centro, centro de la costa Atlántica, centro-norte y suroriente del país. Tales locales consistían en restaurante, estación de gasolina y tienda de compra rápida.

El crecimiento total de satélites de McDonald's fue muy rápido a mediados de los noventa pero se frenó y se redujo entre 1996 y 1997. A finales de 1993, McDonald's tenía 170 satélites funcionando en el mundo, con planes para agregar centenares cada año. Para finales de 1994, la cifra llegaba a 745 y en 1995 alcanzaba 1 571. En 1996 la empresa declaró que comenzaría a reorientar su crecimiento hacia las unidades tradicionales en vez de continuar el crecimiento previsto de sus instalaciones satélite. De hecho, en 1997 cerró 115 restaurantes satélite de bajo volumen en los Estados Unidos a fin de reducir los gastos sostenidos y fortalecer el negocio en el país.

Tal parece que los nuevos canales no han sido tan rentables como se pensó en un momento. Los actuales restaurantes satélite en combinación con las tiendas de compra rápida y estaciones de gasolina están arrojando resultados mixtos, y hay quienes piensan que van a diluir la marca McDonald's.

Aseguran que un McDonald's Express en una tienda de marcas compartidas tiene el efecto de degradar al verdadero McDonald's. Otros piensan que la industria de tiendas de compra rápida (que sumó ventas por $132,2 billones, vendiendo gasolina en el 72 por ciento de sus locales) se encuentra en un momento oportuno para grandes revisiones, entre ellas la de agregar más elementos actualizados como marcas de comidas rápidas o algún otro tipo de "plaza de restaurantes".

Hay quienes prevén otros posibles problemas en el futuro. "La asociación con varios protagonistas diferentes en el negocio de tiendas de compra rápida y estaciones de gasolina no puede menos de presentar nuevos retos operativos para McDonald's, que aún no han salido a la superficie en su empresa conjunta con Wal-Mart. Wal-Mart funciona porque la administra una compañía", dijo Dick Adams, presidente de Franchise Equity Group. Otro riesgo de estas instalaciones es el costo más alto del local. En un espacio compartido, McDonald's suele verse obligado a alquilar el espacio en vez de comprarlo como acostumbra en sus locales tradicionales.

Por tanto, los planes originales se han moderado, pero McDonald's sigue conservando cierta concentración en estos puntos de distribución más pequeños. Desde la perspectiva de gestión de canales, la lección puede ser que la empresa dedicó muy poco tiempo a las pruebas piloto. En el lado positivo, la extensión del nuevo concepto fue rápida y McDonald's se ha mostrado dispuesto, ante los resultado mixtos, a ir adaptando el concepto a medida que pasa el tiempo y se acumula experiencia.

Capítulo 6

Cuarto paso:
Extensión rápida

Al patinar sobre una capa de hielo delgada, la seguridad está en
nuestra velocidad.

— RALPH WALDO EMERSON

Para que los canales se hagan realidad, es preciso extender los conceptos
rápidamente por segmentos y zonas geográficas.

Completado el paso de la prueba piloto, el reto es comenzar a
realizar prontamente los beneficios de la nueva propuesta de canal en una
escala amplia. La prueba piloto debe generar o bien tantos datos que
obliguen a revisar el programa totalmente, o bien el conocimiento y la
confianza para proceder a extenderlo lo más rápidamente posible.

Con frecuencia, la ventaja competitiva de un nuevo concepto de
canal surge por el hecho de ser el primero. Suele suceder que a un nivel alto
las ideas resultan fáciles de identificar y copiar. Por tanto, para ser el ganador
es imprescindible adelantarse mucho a la competencia en la refinación de
pequeños detalles y simplemente ser el primero. Entonces este cúmulo de
conocimientos y este adelanto resultan sorprendentemente difíciles de
imitar.

Por ejemplo, el éxito fenomenal de campeones de los canales como Wal-Mart y The Home Depot proviene de las incontables prácticas operativas que desarrollaron y luego la velocidad con la cual expandieron sus negocios. Muchos han analizado estas historias de éxito, pero ningún otro competidor les ha llegado a los tobillos.

Campeones de los conductos: The Home Depot

Un ejemplo excelente de la extensión rápida de un concepto es The Home Depot. Esta cadena estadounidense de tiendas minoristas para constructores aficionados generó valor como resultado de un modelo muy sencillo: acrecentamiento vertiginoso de negocios de alto rédito.

La empresa ha crecido a un ritmo anual promedio del 50 por ciento durante el último decenio. Al mismo tiempo, sus ROS y ROCE* han permanecido bastante constantes en un 20 por ciento. Sus ventas subieron de $118 millones en 1982 a $7,1 billones en 1982 y $30,2 billones en 1998. Con ventas y ganancias que han batido las marcas durante veintisiete trimestres consecutivos, el precio de las acciones ha subido a un ritmo anual compuesto superior al 70 por ciento durante los últimos ocho años.

Detrás de tal éxito se observa la vigorosa extensión de una estrategia de canales, la cual combina alto volumen, excelente servicio al cliente y precios bajos debidos a un sistema avanzado de logística. Además de que la base de activos rentables ha crecido rápidamente, el costo en efectivo del crecimiento ha sido relativamente bajo gracias a la experiencia cada vez mayor con la apertura de tiendas nuevas.

The Home Depot ha ido agregando entre 40 y 50 tiendas nuevas por año. Ahora la empresa se está extendiendo a mercados geográficos nuevos, como el nororiente de los Estados Unidos, California y Florida.

The Home Depot actuó en el momento más oportuno. Aprovechó el descenso en la industria de construcción de casas nuevas, así como la tendencia hacia el mercado de nombres de marca para constructores y compradores aficionados. Además, ha afrontado una competencia restringida de los depósitos de madera locales y algunas cadenas, por tradición poco avanzadas, de centros de materiales para la casa, muchas de las cuales funcionaban a escala solamente regional.

ROCE, Return on Capital Employed: rédito sobre el capital empleado. *(Nota del editor.)*

EMPRESA	The Home Depot, Inc.		
DIRECCIÓN	2455 Pace Ferry Road, Atlanta GA 30339-4024 USA Teléfono: 770-433-8211 Fax: 770-384-2337 URL: http://www.homedepot.com		
NEGOCIO	Minoristas especializados- refacción de casas		
ESTADÍSTICAS	Empleados	1998	157 000
	Ventas anuales (miles)	1998	$30 219
	Resultados anuales (miles)	1998	$ 1 614
	Otros datos		Más de 760 tiendas. Es el minorista de materiales para refacción de casas más grande de los Estados Unidos.

A este panorama The Home Depot introdujo una nueva modalidad, nuevas capacidades y nuevos beneficios para los clientes. Lo hizo de diversos modos:

- Utilizando un formato de depósito grande
- Prestando un excelente servicio en las tiendas, ideado para el cliente final (no para contratistas constructores)
- Aprovechando la escala para lograr ventajas en precios y costos
- Aplicando capacidades de comercialización orientada hacia el consumidor y ofreciendo una variedad de productos sin precedentes en su industria
- Empleando una sobresaliente administración de inventarios e información (comparada con la mayoría de sus competidores)

The Home Depot ha seguido aumentando la apuesta. Ha redoblado la presión sobre los distribuidores mayoristas tradicionales, tiendas especializadas, depósitos de madera y ferreterías, y especialmente sobre otros centros de materiales para la casa. Lo ha hecho agregando continuamente nuevos servicios y productos, ofreciendo servicios de instalación, introduciendo servicios para los contratistas con mostradores separados para ellos y servicios de crédito dirigidos a este segmento del mercado, y lanzando productos con etiqueta propia.

Es interesante señalar que el crecimiento de los centros de materiales para refacción de casas ilustra los retos que afrontan los fabricantes y otros distribuidores en la evolución de un canal cuando la extensión se efectúa rápidamente y con éxito. Los centros de materiales para la refacción de casas están suministrando a una clientela creciente un conjunto cada vez mayor de productos y servicios siempre mejores: representan la punta de lanza en las ventas minoristas de materiales para la casa. Las grandes cadenas, con su poder de crecimiento, ejercen cada vez más influencia sobre muchos proveedores, la mayoría de los cuales se han visto obligados a reaccionar a los cambios en vez de preverlos y prepararse para ellos.

Como hemos visto en otros sectores minoristas, a medida que las cadenas crecen se tornan más avanzadas y poderosas. Su poder y su capacidad para extenderse se manifiestan de diversas formas. Unas amplían su mercado geográfico. Otras dirigen ciertos servicios hacia segmentos específicos. Quizá ofrezcan programas más especializados para los mercados de constructores o profesionales. O bien pueden dirigirse al segmento de mujeres, ofrecer ventas con instalación incluida (el 43 por ciento de las cadenas dicen tener algún programa de este tipo y el 48 por ciento emplean su propio personal), entregar a domicilio o proponer programas de alquiler.

Los detalles en sus modelos de extensión suelen incluir excelentes conceptos de comercialización. Nuevamente, las posibilidades son muchas:

- Mejores exhibiciones, empaques e impresos o vídeos que a veces incluyen sistemas computarizados para tamaños, precios y pedidos para uso de los clientes
- Mediciones más directas de la rentabilidad de los productos
- Mejor gestión de inventarios y capacidad de respuesta a la demanda cambiante de la clientela, utilizando lectores de códigos de barras y compras a proveedores por sistemas de computador a computador
- Ampliación de los servicios de diseño y selección de productos con ayuda del computador
- Mejor capacitación en ventas
- Promociones ampliadas y más avanzadas
- Más uso de etiquetas propias
- Formatos con departamentos especializados

Los centros de materiales para refacción de casas esperan y exigen un mejor respaldo de sus proveedores. Esperan un mejor porcentaje de diligenciamiento de pedidos, mayor cooperación, mejores programas de devolución de mercancías, plazos de entrega más cortos y muchísimas cosas más. Evidentemente, ello plantea a los proveedores ciertos retos y oportunidades importantes. Unos fabricantes podrán aprovechar sus capacidades actuales para satisfacer las necesidades de los centros de materiales para la casa. Ellos deberían, por ejemplo, ser capaces de individualizar los productos para los centros de materiales para la casa, o bien administrar y ayudar a dichos centros en forma productiva mediante comercialización y promociones. Los grandes proveedores de múltiples líneas aprovechan las ventajas de la escala para suplantar a otros proveedores o crearles barreras.

Canales de The Home Depot

- Extenderse rápidamente y dominar los mercados durante esta expansión
- Mantener la presión durante la extensión, desarrollando y adaptando el ofrecimiento en materia de productos y servicios
- Aprovechar a los proveedores a fin de ampliar la red geográfica de un modo económico.

Cuatro son los elementos principales de una extensión rápida y de éxito. Primero está la planificación estratégica con toma de decisiones a alto nivel que determinarán los niveles de recursos, los riesgos, las áreas de extensión previstas y los plazos—en otras palabras, el plan general de juego. Este elemento de planificación estratégica deberá balancear los riesgos y recursos contra el objetivo de una extensión extremadamente rápida.

El segundo elemento es la planificación táctica. El nivel táctico comprende la selección sistemática (a menudo basada en una fórmula específica) de dónde y cuándo se realizará la extensión. Por ejemplo, algunas preguntas tácticas son: qué ciudad escoger para la próxima puesta en marcha, cuántos expendios necesita determinada ciudad o qué locales específicos utilizar. Con el tiempo resulta muy valioso aprender y aplicar la combinación exacta de variables que optimiza dichas decisiones.

El tercer elemento es la metodología de ejecución. Escogida la ciudad o el lugar, el enorme número de tareas específicas necesarias para poner en marcha el concepto de canal constituye la fase de ejecución. Teniendo en cuenta que el éxito de un campeón de los canales depende de que acierte en muchísimos detalles, los elementos de ejecución resultan obviamente cruciales.

La clave es una rutina que se pueda repetir. Esta rutina ha de ser algo más que una comprensión general del proceso enclavada en la mente de unas pocas personas. Ha de ser un conjunto de instrucciones escritas, detalladas y claras, que varios equipos puedan utilizar simultáneamente para realizar la extensión en lugares diferentes.

El cuarto elemento principal de la extensión es la vigilancia y la medición. El elemento de planificación estratégico debe establecer metas cuantificables claras así como hitos para la extensión. Precisa medir rigurosamente el progreso y el desempeño frente a tales planes según la necesidad.

Los cuatro elementos contribuyen a una extensión con éxito. Sin embargo, en el camino sigue siendo necesario estar atentos a ciertos errores frecuentes y corregirlos pronto si aparecen. Mucha veces la extensión falla por errores como los siguientes:

- No aplicar suficientes recursos al comienzo del proceso — en especial, no dedicar personal de extensión clave en la fase de la prueba piloto
- No prever ni prepararse para escollos como, por ejemplo, las barreras legales al plan de ejecución, o los conflictos con otros canales
- Desatender las lecciones aprendidas en la fase de la prueba piloto
- Perder de vista a los clientes-objetivo u otros elementos del negocio en aras del esfuerzo por cumplir objetivos cuantificables de la extensión
- No fijar ni utilizar hitos para las decisiones sobre la corrección del rumbo

Wal-Mart se tomó su tiempo en las prueba piloto del concepto del Supercenter. Pero una vez convencido del potencial que este concepto encerraba, lo extendió rápidamente.

Capítulo 7

Quinto paso:
Estudiar los resultados
y adaptar el canal

> Cada vez más, el arte de la gestión es el manejo del conocimiento. Esto significa que no administramos al personal en sí, sino el conocimiento que éste porta. Y liderazgo es crear las condiciones que permitan que las personas generen conocimientos válidos, y que lo hagan de manera que fomenten el sentido de responsabilidad personal.
>
> — CHRIS ARGYRIS

Las empresas y los canales fracasan cuando dan por terminado el aprendizaje.

Para sobrevivir, son imprescindibles el aprendizaje y la evolución. Pero el aprendizaje, inevitablemente, es difícil. Zozobra por diversas razones:

• *Falta de compromiso de la alta gerencia*. Es preciso que el equipo de alta gerencia está realmente dedicado, a fin de lograr el compromiso necesario. Los altos gerentes tienen que invertir el tiempo suficiente para realmente comprender los asuntos en cuestión, las inquietudes de las personas y lo que realmente está sucediendo. Tienen que hacer acopio de instinto además de intelecto, y muy especialmente cuando se trata de incursionar en nuevos canales.

• *Opciones autorrestringidas.* La mayoría de los gerentes llegan a la cumbre porque supieron tener éxito en una casilla. No piensan de una manera diferente. No son dados a acoger ideas nuevas que provengan del exterior de la casilla. Los mejores conceptos se generan de semillas que están afuera de la casilla. Con múltiple semillas se generan más conceptos. (El concepto resulta más fácil si las semillas pueden justificarse con argumentos serios de negocios.)

• *Incapacidad de aprender la experiencia.* Como bien lo señala Chris Argyris de Harvard, las empresas son notoriamente ineptas para aprender de la experiencia. Efectivamente, la experiencia es uno de los grandes misterios de la vida organizacional. Se da por sentado que los gerentes se benefician de la experiencia. Con más experiencia se pueden tomar mejores decisiones (siempre y cuando que se aprenda de la experiencia). Sin embargo, mientras la experiencia personal se reconoce como importante, la importancia de la experiencia corporativa colectiva suele desconocerse.

• *Falta de flexibilidad y de autoridad.* El aprendizaje exige flexibilidad y la voluntad de arriesgarse a algo nuevo, más la autoridad para ensayar cosas y la seguridad para enfrentar los fracasos de un modo constructivo. Infortunadamente, la mayor parte de los gerentes se sienten incómodos ante la idea de aprender de sus errores. Otra idea incómoda que plantea Chris Argyris es que los gerentes son más dados a barrer un error por debajo de la alfombra corporativa que a sacarlo a la vista para aprender de él. Este tipo de reacción es racional en el medio corporativo usual donde todo lo que sea inferior a un éxito perfecto puede ser un tropiezo en la carrera. Pero al mismo tiempo, dificulta mucho la innovación: sin aprendizaje los programas piloto son inútiles. Muchas empresas desperdician ingentes esfuerzos en intentos por repartir la responsabilidad y la culpa en vez de permitir que el personal ensaye cosas de posible utilidad para beneficiarse de la experiencia tanto de lo que no funciona como de lo que sí funciona.

• • •

Toda idea nueva requiere desarrollo a fin de superar las incontables objecio-nes prácticas. Es importante no apresurarse a eliminar ideas, sino hacer énfasis en la conservación de ideas divergentes hasta que se formulen otros canales como alternativas. Para desarrollar una nueva idea, la empresa necesita gerentes diestros en varias tareas tan difíciles como esenciales:

• *Manejar la incertidumbre.* Toda empresa que está aprendiendo genera incertidumbre y ambigüedad en terrenos que antes eran claros. Los gerentes tienen que aprender a vérselas con este medio más nebuloso y difícil de comprender. Los programas de cambio están igualmente plagados de incertidumbre.

• *Aceptar la responsabilidad.* Los individuos deben asumir la respon-sabilidad por su aprendizaje. No pueden culpar a otros por una falta de oportunidades de desarrollo, pues les incumbe buscar y crear las propias.

• *Aprender destrezas nuevas.* En particular, los gerentes deben adquirir la destreza de escuchar y ser capaces de actuar como facilitadores. Quien se limite a dictar no está agregando valor de aprendizaje.

• *Lograr confianza.* Formados dentro del concepto de dividir y reinar, muchos gerentes encuentran que no les es fácil confiar en los demás.

CONQUISTAS ESTRATÉGICAS

Pese a los incontables factores estructurales y humanos que dificultan el aprendizaje para las empresas, ellas tienen que aprender. El aprendizaje es la vía para relacionar el lanzamiento de nuevos conceptos de canal con el primer paso en la gestión de canales, o sea comprender las necesidades de los clientes. El aprendizaje es la vía hacia aquélla que Charles Lucier, Leslie Moeller y Raymond Held denominan la *innovación estratégica*.

Las innovaciones estratégicas no son golpes de perspicacia brillantes sino poderosas propuestas de valor que hunden sus raíces en un modelo de negocios aventajado desarrollado mediante la experiencia. Tampoco están escritas en tablas de piedra. El concepto que lleva al éxito final suele ser radicalmente distinto de aquél que dio comienzo al proceso. El modelo de negocios y la propuesta de valor requieren con el tiempo adaptaciones notables basadas en el aprendizaje.

Las innovaciones estratégicas son raras porque el proceso de razonamiento que las sustenta es relativamente desconocido. La planificación estratégica tradicional reduce la probabilidad de una conquista. Pocas conquistas estratégicas ocurren en empresas con fuertes procesos de planificación estratégica. El énfasis de la planificación estratégica suele orientarse hacia el mejoramiento gradual. El proceso pasa de averiguación de datos a programación o formulación de estrategias. En cambio, la planificación para lograr conquistas pasa de la averiguación de datos a lo que se ha denominado ideación y de allí al aprender haciendo. Además, las innovaciones estratégicas son especialmente difíciles para los protagonistas establecidos, cuya mentalidad suele arraigarse en el aquí y el ahora y se preocupa ante el posible canibalismo del negocio actual.

Lucier y sus colegas analizaron la creación de valor para los accionistas, entre 1972 y 1996, en más de 1 300 grandes empresas cuyas acciones se venden en las bolsas de los Estados Unidos. También exploraron los casos de 65 empresas que se contaron durante al menos un decenio entre las 10 por ciento más altas en materia de creación de valor para los accionistas. El cuadro 7.1 señala los líderes que aparecieron en esta investigación. Una conclusión importantísima fue que las empresas que logran la innovación estratégica alcanzan un rédito superior para sus accionistas.

Las investigaciones revelaron que más del 80 por ciento de las innovaciones estratégicas que estudiaron habían surgido de la aplicación de uno de los cuatro conceptos siguientes:

- Ventas minoristas "de potencia": Circuit City, The Home Depot
- Eliminación de pasos en la cadena de valor industrial: Tyson's, Frito-Lay, Dell
- Concentración y reducción de la complejidad: Southwest Airlines, Nucor
- Apalancamiento pleno de marcas: Walt Disney, Coca-Cola

La investigación confirmó que las innovaciones estratégicas no

Cuadro 7.1. Rédito para los accionistas entre el 10 por ciento más alto durante mínimo un decenio

Empresa	Industria	Ventas actuales (billones de dólares)	Período de tiempo
Wal-Mart	Minorista de descuento	137,4	1970-comienzo de los noventa
The Home Depot	Minorista de materiales para refacción de casas	30,2	1980-comienzo de los noventa
Waste Management	Manejo de desperdicios	12,7	1975-1994
Circuit City	Minorista de electrodomésticos	8,0	1970-1992
Tyson's Foods	Procesamiento de pollo	7,4	1970-1990
Nucor	Acero	4,2	1970-1992
Shaw Carpets	Recubrimientos para pisos	3,5	1975-a la fecha
Great Lakes Chemical	Sustancias químicas especializadas	1,4	1975-a la fecha

suceden con mucha frecuencia. En 75 industrias en los Estados Unidos a lo largo de 40 años, solamente 1,3 empresas por decenio, por industria, intentaron avances estratégicos. Casi la mitad (0,6 por industria, por decenio) lo logró, adquiriendo así una ventaja competitiva de por lo menos cinco años para el innovador. (Entre los casos de éxito se incluyen Wal-Mart, Home Depot, Southwest Airlines, Federal Express.) La mayor parte de los intentos restantes arrojaron un éxito parcial. O bien la innovación transformó solamente un segmento de la industria en vez de la totalidad, o bien el innovador logró una ventaja apenas transitoria, como es el caso de los sistemas de reservaciones de las aerolíneas.

El aprendizaje — y el conocimiento del aprendizaje — ha brindado varias herramientas y metodologías que hacen posibles las conquistas. Entre ellos se cuentan la planificación basada en escenas, los juegos de guerra, el razonamiento lateral y los diversos procesos creadores populares empleados por los gerentes.

Lecciones clave derivadas de la investigación en el terreno de las innovaciones estratégicas:

- *No son sucesos aislados.* Nacen de un largo proceso, el cual dura años más que meses; y hay que reconocer que la formulación de un poderoso modelo de negocios toma tiempo. Sin embargo, durante la reproducción del modelo de negocios comenzarán a verse réditos económicos importantes, en especial réditos para los accionistas.

- *Requieren pruebas piloto.* La propuesta de valor y el modelo de negocios no serán correctos hasta que se adquiera experiencia en el mundo real.

- *Una vez refinadas, pueden extenderse rápidamente.* Debe incorporarse lo aprendido en las pruebas piloto lo más rápidamente posible a fin de ajustar la propuesta de valor y el modelo de negocios.

Ahora bien, la lección central es la de aprender haciendo, es decir, el desarrollo, mediante la experiencia, de una propuesta de valor y de un modelo de negocios notoriamente superiores. Aprender haciendo significa que el aprendizaje está impulsado por la experiencia retroalimentada mediante la refinación del modelo de negocios. Cuanto más rápida sea la retroalimentación, y más frecuente y eficaz la refinación de la propuesta de valor y el modelo de negocios, más breve será el período de aprender haciendo.

Desde una perspectiva gerencial, las conquistas plantean tres retos claves:

Primero, tiene que haber un compromiso. Las aspiraciones han de ser altas y los participantes deben aceptar los riesgos y estar dispuestos a esperar pacientemente los beneficios. Todo esto toma tiempo y atención.

En segundo lugar, este compromiso ha de mantenerse durante varios años. Para asegurar el éxito de la innovación estratégica, puede ser necesario organizar pruebas piloto durante varios años. Con ello se corre el riesgo de caer en el canibalismo de los negocios actuales. Ante el habitual surtido de problemas y retos a corto plazo, es muy posible que los gerentes miren las pruebas piloto como algo de importancia secundaria si el medio corporativo no ha incluido salvaguardias apropiados para las innovaciones a largo plazo.

En tercer lugar, las conquistas requieren una gestión de diferenciación. Precisan mediciones nítidas y diferentes. Y estas mediciones deben comunicarse y refinarse; hay que mantener una conexión directa siempre abierta desde la alta gerencia a las pruebas piloto y de vuelta a la alta gerencia.

Campeones de los canales: ventanería de Pella

Pella Corporation es uno de los principales fabricantes estadounidenses de productos de ventanería: ventanas, puertas y tragaluces. Fundada en 1925, la empresa ganó fama por sus productos de madera de alta calidad, labrados con esmero y dirigidos hacia el sector más pudiente del mercado. Pella también prosperó por sus innovaciones en el mercado, entre ellas una cortina enrollable (su primer producto), celosías y ventanas revestidas de aluminio que no requieren mantenimiento.

Hasta finales de los años ochenta, Pella creció a un ritmo anual promedio superior al 9 por ciento. Era uno de los fabricantes de ventanería más grandes en una industria sumamente fragmentada. Gozaba de una posición claramente privilegiada, con un nombre de marca fuerte, y su participación era de dos dígitos en el mercado de ventanas de madera para casas, hechas por encargo. No obstante, y aunque el mercado llevaba varios años creciendo, los ingresos de Pella habían comenzado a nivelarse. Por otra parte, el mercado estaba sufriendo cambios fundamentales. Por consiguiente, la gerencia de Pella emprendió un rejuvenecimiento mayor, el cual acabaría por alterar el negocio en todas sus partes.

Pella, como la mayoría de los fabricantes de la vieja guardia, debía su éxito y su fuerza a la fabricación de un producto bueno. Según su ex vicepresidente senior Hilliard Keeney, "nuestra filosofía era: 'si se hace un producto mejor alguien vendrá a comprarlo'". Hasta 1992 Pella vendía enteramente por medio de distribuidores independientes cuya única línea de ventanas y puertas para patio era Pella (y ésta solía representar aproximadamente el 90 por ciento de sus ventas totales). Dichos distribuidores, que hoy suman unos 80, cumplían muchas funciones importantes, entre ellas la distribución física, el ensamblaje (agregaban anexos y opciones e

EMPRESA	Pella Corporation	
Entre las subsidiarias se incluyen	Pella International Inc, Pella, Iowa Pella Product, Inc., Rockford, Illinois Pella Windows & Doors, Inc., Glendale Heights, Illinois Pella International Sales Corporation, Pella, Iowa Pella Windows & Doors, Inc., Minneapolis, MI Viking Industries, Inc., Portland, Oregon Cole Sewell, Minneapolis, Minnesota	
DIRECCIÓN	102 Main Street, Pella, IA 50219 Teléfono: 515-628-1000 URL: http://www.pella.com	
NEGOCIO	Productos de ventanería	
ESTADÍSTICAS	Empleados	4 000
	Otros datos	Empresa de propiedad privada, controlada por la familia Kuper-Farver

individualizaban el producto) y ventas. Esto último incluía, entre otras actividades, manejar tiendas de ventanería para ayudar a los clientes a abrirse paso entre el enorme surtido de productos, opciones y características. Los distribuidores de Pella incurrían en costos considerables para vender el producto y alistarlo para su aplicación. Además, como los distribuidores manejaban casi toda la comercialización y las ventas, Pella misma tenía escasísimo conocimiento del mercado y del cliente. Como si fuera poco, había una notoria escasez aun de los datos básicos de la industria.

Comprensión del mercado y segmentación de los clientes
La primera medida de Pella fue adquirir una mejor comprensión de lo que estaba sucediendo en el mercado. Era evidente que el mercado de nivel medio estaba creciendo muy rápidamente. Ésta era la parte del mercado que estaba siendo impulsada por los grandes aumentos en las reparaciones y remodelaciones (RR),

incluidos los segmentos de constructores y compradores aficionados. El crecimiento explosivo del canal de centros de materiales para refacción de casas, encabezado por The Home Depot, Lowe's y Menard's, satisfacía una parte de la demanda y estaba ayudando a los fabricantes nacionales a quitarles participación a los talleres locales fabricantes de ventanas. Andersen, en particular, se benefició de este crecimiento del mercado medio, convirtiéndose en el fabricante nacional de ventanas de madera más grande y de más rápido crecimiento. Pella, con su producto de alto nivel, distribuidores exclusivos y cadena de valor de alto costo, estaba enfocada hacia el extremo más adinerado del mercado, lo cual era atractivo pero no facilitaría el crecimiento a largo plazo que Pella necesitaba y para el cual estaba posicionada.

La solución para Pella era clara y se componía de tres partes:

- Mejorar los costos y los servicios drásticamente mediante el canal actual, a fin de atender a los segmentos más adinerados del mercado
- Captar posibilidades de crecimiento en los segmentos medios del mercado
- Impulsar el desarrollo de la marca

Sin duda, un obstáculo grande para Pella fue aceptar que había una enorme oportunidad para mejorar los costos y los niveles de servicio a todo lo largo de su cadena de valor. Pero en materia de mentalidad, el cambio más radical fue la idea de que Pella tendría que dejar de pensar en sus distribuidores como sus clientes. En su lugar, y pese a las posturas y deseos de sus distribuidores, Pella tendría que asumir la responsabilidad por la comercialización, comprender los diferentes segmentos del cliente final y luego determinar cómo la cadena de valor en su totalidad podría servirles mejor.

Aspecto crucial de tal cambio de mentalidad fue el concepto de la segmentación del mercado. Las divisiones tradicionales del mercado reflejaban ante todo la distinción entre clientes residenciales y clientes comerciales y de vivienda multifamiliar, y entre construcción nueva y construcción de reparación y remodelación. Ahora precisaba establecer las distinciones entre los clientes de una misma categoría, a fin de comprender plenamente sus diversas necesidades y determinar la mejor manera de suplirlas. En representación de estos segmentos diversos basados en necesidades, Pella adoptó una segmentación por precios (dólares promedio por ventana). Por ejemplo, $50 a $100 podría constituir un segmento en el extremo inferior, y $200 y más uno del extremo superior. Pella analizó sistemáticamente las diferencias entre estos segmentos y se valió de tal conocimiento para distinguir rigurosamente lo que ofrecería a cada segmento, formulando conforme a ello proposiciones de valor (productos y servicios) muy distintas.

Gary Christensen, director ejecutivo de Pella, lo explica así: "El concepto de segmentación del mercado fue clave, y resultó sumamente difícil porque no era la idea del negocio tradicional y sencilla. Subrayaba comportamientos de compra nítidamente distintos agrupados en torno a precio. Teníamos que superar la perspectiva convencional de "todo para todos" y tener algo práctico que todos en la empresa pudieran utilizar para definir diferentes soluciones para diferentes segmentos".

Sistemas de negocios enfocados sobre segmentos del mercado

Determinar la visión estratégica básica fue la parte fácil; como suele suceder, el verdadero reto fue hacerla realidad. Implicó un viaje largo y arduo que, incluso, sigue en proceso aún hoy. Los cambios abarcaron todos los aspectos del negocio, desde productos hasta procesos de fabricante, canal y logística, ventas y comercialización. Muy notablemente, precisaba desarrollar múltiples sistemas de negocios para satisfacer segmentos de clientes específicos.

Para llegar con éxito al mercado de nivel medio atendido por minoristas y depósitos de madera, Pella tuvo que construir un sistema de negocios enteramente separado. Primero, tuvo que diseñar una nueva línea de productos capaz de competir eficazmente contra Andersen, línea que cumpliera las normas de calidad y hechura de Pella pero que estuviera más enfocada y por tanto fuera menos costosa que los tradicionales productos de nivel superior. Esta nueva línea de productos con su submarca separada, ProLine, tiene un número limitado de unidades de inventario (SKU) en contraste con la línea histórica de productos de Pella, su serie Diseñador hecha sobre pedido, que ofrece un número virtualmente ilimitado de combinaciones de productos, opciones y configuraciones. Para evitar la complejidad y los consiguientes costos superiores de la serie Diseñador, fue necesario montar para el nuevo producto ProLine plantas enteramente distintas con procesos de fabricación, recursos y requisitos de desempeño radicalmente distintos.

El producto ProLine también se vende directamente a minoristas, depósitos de madera selectos y proveedores de materiales de construcción especializados, lo cual exige sistemas propios de comercialización, venta y distribución. Por ejemplo, el aspecto logístico de reponer las existencias de un gran centro de materiales para la casa, como preparación para la congestión del fin de semana, resultó inmensamente distinta de aquélla para llenar los pedidos de múltiples constructores de casas. Con la serie Diseñador, los dueños de casa suelen pasar horas con un vendedor, lo cual incluye visitas a la tienda de ventanería de Pella así como encuentros en el local de construcción, hasta haber repasado un total de 280 especificaciones que determinarán la configuración del producto final. En este canal, un factor clave para la satisfacción del cliente es la modalidad de gestión total del proyecto por parte de Pella. En cambio, los compradores en un centro de materiales para la casa deben responder sólo una decena de preguntas para hacer su pedido. Como es de esperar, Pella también tiene que ofrecer ventas personalizadas y apoyo de mercadotecnia a los centro de materiales para la casa. En este canal, la satisfacción de la clientela depende de que se respalde el singular ambiente de transacción-venta de los centros de materiales para la casa, factor que determina diferencias considerables en cuanto a la adquisición y el cumplimiento de pedidos.

Así pues, con el beneficio de su conocimiento de la segmentación, Pella pudo desarrollar propuestas de valor (productos y servicios de costo y precio acertados) con sus necesarios sistemas de negocios separados, orientados certeramente y optimizados para segmentos de clientes específicos.

Principales mejoras al negocio

Todos los aspectos de la cadena de valor se examinaron y casi nada se quedó sin cambiar.

* Manufactura de menor costo y con mayor capacidad de respuesta
* Logística e inventario mejorados para mayor cumplimiento en las entregas y menor costo
* Nuevas capacidades en el servicio del canal
* Sistemas rediseñados para respaldar estas nuevas capacidades

Pella logró mejoras sustanciales en sus propios costos, plazos y cumplimiento. Además, gran parte del trabajo de valor agregado que antes cumplían los distribuidores regresó a las plantas de Pella, ocasionando eficiencias adicionales.

Factor clave en el mejoramiento de la propuesta de valor en todos los canales fue la actualización de las capacidades logísticas de Pella. Para asegurar el cumplimiento en la entrega, Pella tuvo que rehacer su estrategia. Se determinó que el modelo óptimo sería un centro de distribución nacional para atender a los centros de materiales para refacción de casas y distribuidores directamente. Además, con inversiones en nuevos sistemas de información y procesos de reingeniería, se redujo el tiempo de respuesta y se mejoraron el cumplimiento y la calidad.

A fin de hacer realidad tanto cambio, Pella tuvo que acudir a prácticas gerenciales nuevas. Los cambios eran de tal magnitud, y su ejecución tan complicada, que no podían efectuarse por simple mandato desde la alta gerencia. El *quid* estaba en el detalle. Fue preciso efectuar millares de cambios pequeños y luego refinarlos. Los únicos capaces de efectuarlos oportunamente y sin costos excesivos eran personas cercanas a los asuntos en cuestión y conocedoras de los mismos — personas con visión suficiente para aplicar las mejoras directamente. Toda la empresa se movilizó para la transformación. Pella ha confiado muchísimo en el sistema Kaizen de mejoramiento continuo. Nombró empleados desde la gerencia hasta la planta de la fábrica para conformar equipos que se ocuparían de asuntos apremiantes. Dichos equipos estaban facultados para diagnosticar y entenderse con cualquier problema u oportunidad que se presentara. Esta filosofía de mejoramiento continuo ha sido un elemento imprescindible del progreso de Pella. "El mejoramiento continuo con el empleo de Kaizen se ha convertido en una parte principal de nuestra cultura", dice Christensen. "Le decimos a cada equipo que se oriente hacia la acción y no espere la solución perfecta. Simplemente les pedimos que mejoren bastante, sabiendo que volveremos una y otra vez a seguir mejorando el proceso. Y esto no es sólo para las plantas. Usamos equipos en todos los procesos del negocio, incluida toda la cadena de valor. Es extraordinario verlo".

Desarrollo de la marca

Dentro del fragmentado sector de fabricantes de ventanas, solamente Pella y Andersen habían inculcado en los consumidores una considerable conciencia de su marca. Andersen había comenzado un programa corporativo sostenido para acentuar su marca en los años ochenta, mientras que Pella había dependido de los programas locales de publicidad y comercialización de sus distribuidores. Al ir avanzando, la gerencia de Pella vio claramente que le convenía apersonarse del desarrollo de su marca a fin de aprovechar plenamente los grandes cambios y mejoras alcanzados con su estrategia de negocios dirigida a segmentos específicos, así como sus realineaciones operativas y su acceso ampliado por medio de canales nuevos.

Elemento fundamental de su estrategia en cuanto a la marca fue que todos los productos de Pella cumplirían las mismas normas meticulosas de calidad y desempeño que se habían convertido en la característica de la marca Pella, cualquiera que fuese el producto o segmento del mercado por atender. Se formuló un enunciado general de posicionamiento para la marca Pella: "Vista como la mejor", junto con una garantía común para todos los productos.

Resultados y conclusiones·

Pella ha sufrido una verdadera transformación desde que reconoció un problema en los años ochenta — transformación que le ha traído resultados extraordinarios. Christensen la describe así. "Hoy, en comparación con 1990, usted gasta menos dinero por un producto Pella mejor y lo recibe más pronto. La satisfacción de los clientes se encuentra más alta que nunca y sigue mejorando. De hecho, los tiempos de ciclo se han reducido a la tercera parte de lo que fueron. El índice de entregas a tiempo ha pasado de aproximadamente el 85 por ciento al 99 por ciento. Las rotaciones del inventario han mejorado por un factor de 10. Y, además, Pella todavía no ha impuesto un aumento de precios significativo desde 1993. Por último, las ventas se han más que duplicado entre 1991 y 1998, con el crecimiento proveniente de todos los segmentos. ProLine no mató a otros productos, como temieron algunos, pese a su formidable crecimiento. De hecho, en materia de ventas de ventanas de madera ProLine por sí mismo se situaría entre las 15 primeras empresas norteamericanas.

Christensen señala que sólo una pequeña parte del éxito de Pella puede atribuirse a la estrategia. La mayor parte del éxito proviene de la ejecución. "Si la estrategia es la rueda delantera de la bicicleta, entonces la ejecución y el mejoramiento continuo son la rueda trasera que le da la potencia. El 90 por ciento del trabajo consiste en hacerlo bien".

Asegura, así mismo, que la modalidad de un sistema de negocios enfocado sobre segmentos ha podido funcionar gracias a la cultura de mejoramiento continuo basada en la metodología Kaizen. Esta capacidad que Pella logró establecer se aprovechará en los años venideros a medida que la empresa comprenda aun mejor el mercado y forme sistemas de negocios personalizados adicionales para atender a segmentos específicos.

Sin embargo, Christensen opina que aún queda un largo trecho por recorrer. "Sólo hemos recorrido el 20 por ciento del camino". Hoy todavía persiste la lucha por conservar la estrategia vencedora de segmentación de los clientes. "El riesgo más grande que afrontamos hoy es la tendencia, tanto adentro como afuera del negocio, de regresar a la vieja modalidad sin estructura de 'todo para todos'. El mundo ya no es de 'una talla buena para todo el mundo'. Una cosa es atender a los clientes en depósitos de madera y otra es atenderlos en centros de materiales para refacción de casas, y aun otra es atenderlos en las tiendas de ventanas", apunta Christensen. Es interesante señalar que pocos fabricantes y minoristas de productos de construcción se dan cabal cuenta de la importancia y el poder de los sistemas de negocios enfocados en el cliente. No obstante, Pella está resuelto a seguir su curso. "En todo lo que hacemos, pensamos en los segmentos de los clientes. Estamos dejando que sean éstos quienes impulsen el negocio", dice Randy Iles, vicepresidente senior de comercialización y ventas.

Canales de Pella

* Comprensión del mercado y segmentación de los clientes
* Sistemas de negocios enfocados sobre segmentos

TERCERA PARTE

Retos de los canales

Nadie dijo jamás que sería fácil. Tres son las cosas que han de tenerse en cuenta durante el proceso de gestión de canales de cinco pasos:

1. *Administrar los conflictos entre canales.*

El meollo del proceso de gestión de canales está formado por el conocimiento de los clientes, la identificación de segmentos entre ellos que agregan valor, y el desarrollo de sistemas de operación alineados con los clientes. Su transformación en una eficaz gestión de canales puede verse socavada y revuelta por conflictos entre los mismos. Los canales múltiples son parte inherente de la gestión de canales, por lo cual es inevitable que surjan diferencias entre ellos. Las empresas necesitan cada vez mayor capacidad de reconocer los conflictos potenciales entre canales y decidir conscientemente entre elementos que se compensan o bien invertir en aquellas capacidades que les permitan manejar el conflicto.

2. *Maximizar las economías de los canales.*

Para mantenerse a la cabeza de la carrera, las empresas deben impulsar los cambios en forma proactiva. Los canales son el nuevo campo de batalla y estarán cambiando constantemente. Sobrevivirán únicamente aquellas empresas que igualen o sobrepasen este ritmo de cambio. Los ganadores del futuro serán aquellas empresas lo bastante valientes y perspicaces para inventar canales nuevos continuamente y administrarlos con vigor.

3. *La ventaja de la comercialización uno a uno.*

El resultado final de una gestión de canales dinámica es la comercialización uno a uno. El futuro está en los segmentos de a uno. La belleza del comercio electrónico es sencillamente que permite un diálogo íntimo con los clientes. Pero no hay que dejarse llevar del entusiasmo: Internet es una excelente herramienta para alcanzar una ventaja en materia de canal. Sin embargo, no es la única herramienta ni es la última palabra.

Capítulo 8

Administración de los conflictos entre canales

Las diferencias sinceras suelen ser un saludable signo de progreso.

— MAHATMA GANDHI

La vida de los negocios es más compleja que la simple incógnita de qué canales seleccionar. Muchos fabricantes se encuentran ante la situación de administrar muchos canales coincidentes. Si una empresa pretende llegar a segmentos de clientes en pleno fraccionamiento, es imprescindible que cuente con canales separados, y habrá que administrar los inevitables conflictos entre ellos.

Las cuestiones de conflictos entre canales suelen tener amplias implicaciones estratégicas y requieren inversiones en sistemas a fin de lograr una ventaja competitiva y resolver conflictos mediante la gestión de información. Además, suelen relacionarse con oportunidades de mejoramiento táctico y operativo a corto plazo, las cuales pueden financiar la construcción de las capacidades.

El fabricante de pinturas Sherwin-Williams atiende múltiples canales y tiene habilidad para administrar conflictos entre ellos. Tiene que serlo. La pintura Sherwin-Williams fluye por varios canales diferentes: comercializadores masivos, centros de materiales para la refacción de casas, tiendas de pintura independientes y tiendas de pintura del mismo Sherwin-Williams. El producto en sí suele ser parecido, si no virtualmente el mismo; mas para atender a una clientela muy diversa, hay variaciones entre un canal y otro, y a veces dentro de un mismo canal, en materia de nombre de marca, precio y servicios afines. La subsidiaria Sherwin-Williams United Coatings fabrica la línea Color Place para Wal-Mart. Serwin-Williams también fabrica la línea Martha Stewart de pinturas de diseñador para K-Mart (aunque no lleva el nombre de Sherwin-Williams en la lata), además de su marca Dutch Boy. La buena administración de múltiples canales que se evidencia en este empresa ha dejado de ser la excepción.

Muchas veces, la personalización de productos para determinado segmento implica ofrecer no sólo una serie de opciones en cuanto al producto sino también una serie de opciones en cuanto a canales. Un mismo producto puede venderse mediante canales radicalmente distintos. En la mayoría de los mercados se ve la coexistencia económica de múltiples canales. Ello muestra que los consumidores difieren en sus expectativas acerca de la experiencia de compra y propiedad así como sus expectativas acerca del producto en sí. Al fin y al cabo, una persona tiene cabida en varios segmentos. Podemos visitar un restaurante desempeñando papeles diferentes — para cenar con la familia, con los colegas o solos. En cada ocasión nuestras expectativas y nuestras exigencias en materia de servicio serán diferentes.

El conflicto es parte inherente de la gestión de canales. Ello es inevitable en una u otra forma en cualquier negocio de cierto tamaño. La realidad es que la segmentación basada en la compra o en la propiedad suele llevar a los fabricantes a vender productos similares por más de un canal. Obviamente, ello puede ocasionar choques, y de hecho los ocasiona.

A veces, los conflictos entre fabricante y minorista resultan inevitables. Tomemos como ejemplo la industria automotriz. El producto es de tal naturaleza (precio alto, compra infrecuente, facilidad de comparar precios entre minoristas), que la mayoría de los consumidores son muy sensibles a los precios en el punto de compra y típicamente pueden escoger entre gran número de concesionarios relativamente cercanos, los cuales venden las mismas marcas. Por tanto, los márgenes de utilidad de los concesionarios en la venta de automóviles nuevos se reducen inevitablemente a casi nada, por causa de la competencia. En su lugar, los concesionarios ganan dinero con la venta de automóviles usados y el servicio. Ello plantea un conflicto de objetivos: el fabricante quiere vender automóviles nuevos, los concesionarios quieren vender automóviles usados y servicio. Lexus ayuda a resolver este problema enseñándoles a administrar el negocio de automóviles nuevos y usados conjuntamente, de maneras que optimicen el valor de ambos (en esencia, elevando el valor residual de sus automóviles).

No es raro que estallen conflictos cuando un proveedor reconoce que los actuales canales no están desempeñándose a satisfacción — por ejemplo, no están captando la tajada plena o deseada del mercado. El proveedor intenta impulsar cambios en estos canales o encontrar canales nuevos, pero muchas veces resulta que algunos de los actuales integrantes del canal son renuentes o incapaces de efectuar la transición necesaria. (Por ejemplo, los formatos nuevos o variados suelen atraer clientes nuevos, pero quizá los expendios actuales carezcan del espacio o de los recursos para adoptarlos.) Y al contrario de lo que dice la sabiduría popular, la solución no siempre es asociarse con el canal.

La magnitud del conflicto depende en gran parte de la medida en que se hayan modificado las economías fundamentales de los canales. El cambio de economías con el tiempo corresponde a un ciclo de vida en la relación proveedor-canal comparable con el ciclo de vida de un producto. En la primera etapa, los intereses de las dos partes parecen concordar mientras acrecientan el negocio rápidamente. En esta primera etapa, los conflictos son raros y escasa la necesidad de reajustes en razón del comportamiento del canal.

En la segunda etapa, surge la necesidad o bien de extraerle amplias ganancias de eficiencia al sistema de negocios proveedor-canal, o bien de apuntar hacia mejoras en la satisfacción del cliente o reducciones de costos, o ambos, para canales o segmentos de clientes específicos.

En la tercera y última etapa, ya sea porque las economías de base se han modificado notoriamente o porque el negocio está encogiéndose, los intereses de las dos partes pierden su concordancia. Los choques pueden ser intensos y rampantes. El proveedor busca fundamentalmente rediseñar maneras de atender al cliente. Frecuentemente se hace necesario establecer sistemas de negocios enteramente nuevos.

De hecho, la tercera etapa suele brindar una oportunidad ideal a un nuevo participante en el mercado.

MINIMIZAR EL CONFLICTO, MAXIMIZAR LA DIFERENCIA

Los modos clásicos de administrar el conflicto entre canales tienen que ver con la minimización de la competencia entre los diversos canales diferenciando en la medida de lo posible aquello que cada uno ofrece. Puede lograrse mediante variaciones en el surtido de productos, nombres de marca, estrategias de precios y programas publicitarios y promocionales.

Con la creciente fragmentación de los mercados finales, la mayoría de los proveedores se dan cuenta de que es más y más difícil limitarse a un solo canal para acceder a todo su mercado en potencia y crecer. Tienen que afrontar el reto de administrar los conflictos entre múltiples canales con el fin de maximizar su contacto con los clientes y su satisfacción.

Dichos conflictos obedecen a dos causas básicas. Una son las diferencias en materia de incentivos y determinación de precios. La otra es la competencia por conquistar los mismos clientes.

Las cuestiones de precios han de mirarse integralmente para evitar la arbitrariedad al comparar canales y niveles en la jerarquía de la distribución, para impedir que un canal domine a otros canales importantes y para asegurar que los necesarios servicios de valor agregado puedan recibir el respaldo de los canales apropiados. Quizá sea aconsejable algún grado de competencia en busca de clientes, pero toda coincidencia nociva debe identificarse en la etapa de planificación.

El arsenal disponible para los proveedores a fin de administrar estos conflictos en potencia y satisfacer las diversas necesidades de clientes y canales diferentes resulta extenso: diferencias entre marcas, diferencias entre productos, diferencias en el servicio prestado por el proveedor, políticas de incentivos y precios, asignación de tipos de cliente desde el principio, políticas de abastecimiento o diferencias en los tamaños de pedidos. A fin de proteger los mercados actuales y conquistar nuevos, es crucial un hábil diseño y despliegue de tácticas en combinación acertada para lograr un fin deseado.

ORGANIZACIÓN EN TORNO A LOS CANALES

La administración de conflictos entre canales también es asunto estructural y de operación. La gerencia debe necesariamente asegurar que las compañías estén organizadas y administradas de tal manera que se conecten con los clientes — los clientes apropiados en el momento apropiado y de la manera apropiada. El manejo de conflictos es un tema tan organizacional como cualquier otro.

Lo anterior significa que el servicio al cliente no se puede delegar bajándolo de nivel en la línea. El delegar la mejora en la atención a los clientes a alguna función de servicio al cliente es señal segura de que los resultados serán decepcionantes. Más aún, la delegación de responsabilidades a cualquier organización funcional sin mucha previsión y atención de la alta gerencia rara vez trae resultados satisfactorios.

Conectarse con los clientes no significa sonreírles, aunque esto ayuda. Quiere decir formar canales que brinden valor a los clientes y luego establecer los procesos y sistemas operativos que entreguen dicho valor eficazmente. El reto operativo es amplio. Los procesos de negocios pertinentes a la gestión eficaz de un canal determinado siempre reúnen varias áreas funcionales. Requiere tener en cuenta ventas, comercialización, operaciones e intereses financieros. Se requieren destrezas en materia de sistemas estratégicos, operativos y de información.

El reto es que las empresas perciban el impacto que sobre su eficacia tendría el hecho de organizar sus actividades no en torno a funciones sino en torno a canales. Para comenzar, resulta claramente más fácil, como se vio en los casos de Saturn y Lexus. Pueden ir hacia atrás comenzando con el canal para crear los sistemas operativos que lo mantengan eficazmente.

Campeones de los canales: Goodyear

Un punto especialmente difícil es cómo pasar de la distribución por un solo canal a la de canales múltiples. Aunque no hay una manera indolora de lograr tal proeza, sí hay lecciones que pueden derivarse de las experiencias de fabricantes que lo han hecho.

Por ejemplo, la industria de llantas cuenta con una amplia serie de canales. Hay proveedores de múltiples marcas, tiendas de descuento, proveedores de una sola marca, estaciones de servicio y empresas como Sears, así como los clubes de bodegas. Las experiencias de compra varían, como también varían las expectativas de los clientes en cuanto a dicha experiencia. Existen marcas para canales específicos y escalas de precios entre los canales. No es de extrañar que las compañías de llantas estén acostumbradas a entenderse con conflictos entre canales.

Frente a un mercado así, las empresas han de preguntarse quien controla la relación con el cliente y cuánta influencia desean ejercer en ella.

Las respuestas no son fáciles. Pregúntesele a Goodyear. Goodyear es un diseñador, fabricante y distribuidor de llantas y productos afines. En 1998, tenía más de 95 000 empleados, capitalización del mercado de $8 billones, ingresos de $12,6 billones y utilidades de $682,2 millones.

Los canales de distribución minorista de llantas suelen diferenciarse principalmente por la dimensión de la exclusividad. En los extremos opuestos de la gama se encuentra un canal exclusivo de marca pura (producto de una sola marca, mucho control sobre el producto y alto nivel de servicio ofrecido), por una parte, y por otra un canal de multimarcas (amplio surtido de productos, precios muy bajos, bajo servicio y volumen alto). El canal de distribución de Goodyear hoy es una mezcla entre exclusivo y multimarcas, con lo cual se balancean el control y los precios del canal exclusivo, por un lado, con el volumen y la índole competitiva del canal multimarcas.

Terminando el decenio de los ochenta, Goodyear vio ciertas tendencias indeseables en la empresa. Sus despachos de llantas de repuesto se redujeron de 18,9 millones de unidades en 1986 a 16,2 millones en 1989. Además, la participación de

EMPRESA	Goodyear Tire & Rubber Company		
DIRECCIÓN	1144 E. Market Street, Akron Oh 44316-0001 USA Teléfono: 330-796-2121 Fax: 330-796-2222 URL: www.goodyear.com		
NEGOCIO	Productos de caucho y plástico		
ESTADÍSTICAS	Empleados	1997	95, 472
	Ventas anuales (miles)	1998	$12, 626
	Resultados anuales (miles)	1998	$682
	Otros datos	Fabricante número uno de llantas para camión en los Estados Unidos; número tres en el mundo	

Goodyear en las llantas para automóviles nuevos se redujo del 12,8 por ciento al 10,5 por ciento entre 1986 y 1989. Al mismo tiempo, las ganancias por concepto de llantas de repuesto también iban cuesta abajo. En 1990 Goodyear incurrió en una pérdida neta de $38 millones sobre ingresos de $11 billones.

En los locales de algunos consumidores supuestamente exclusivos, las llantas Goodyear se veían apiladas al lado de otras con nombre de marca menos conocido pero con márgenes de utilidad mayores. Mientras tanto, Michelin avanzaba a grandes zancadas, vendiéndole a cualquiera. La exclusividad asociada con la marca Goodyear se vio amenazada. Por lo menos el 35 por ciento de los consumidores de Goodyear vendían llantas de otras marcas, y un 35 a 45 por ciento del volumen de reemplazo de Goodyear se vendía por medio de consumidores de multimarcas.

Un análisis del mercado reveló varias cosas importantes. Primero, los consumidores pueden segmentarse según si basan sus compras de llantas primordialmente en la marca, el expendio de distribución o el precio. Es evidente que la fuerza de Goodyear está en el primer grupo. La segunda revelación fue que las tiendas minoristas de Goodyear padecían ineficiencias tanto operativas como administrativas. Como porcentaje del ingreso, el SG&A de las tiendas minoristas era considerablemente más grande que para la mayoría de sus competidores.

La conclusión de todo lo anterior fue que Goodyear debía mejorar su mezcla de formatos de distribución, el exclusivo y el multimarcas. El formato exclusivo podía ser económicamente viable, y la inversión necesaria para acrecentar el canal y aprovechar mejor la marca Goodyear bien valdría la pena considerando las ganancias que generaría.

Existían también oportunidades para mejorar la eficiencia de las tiendas minoristas de varias maneras, incluso en cuanto a compras, horarios del personal, organización y programas de incentivos para el mismo. Además, una oportunidad de reducir la fuerza laboral abrió el camino para igualar el SG&A de las tiendas minoristas con el de los competidores. Dentro de su nuevo enfoque, Goodyear formuló un plan de ejecución de tres años.

El primer paso era aumentar el número de expendios de distribución minorista a fin de penetrar mejor los mercados de Goodyear. Ello fue posible gracias a un nuevo proceso de distribución y desarrollo de locales y el análisis que lo respaldaba, proceso que hacía más hincapié en lograr expendios de canales que fuesen más viables económicamente.

Luego Goodyear procedió a reestructurar su red de logística para lograr una capacidad de entrega el mismo día o el día siguiente para el 60 por ciento del mercado. A esto se agregó una mejor gestión de sus inventarios, así como ahorro de costos del orden de varios millones de dólares.

El siguiente paso fue aumentar la publicidad de Goodyear tanto para sus productos como para los expendios donde se vendían, a fin de fortalecer más el nombre. Luego la empresa identificó y aprovechó otras oportunidades, además del impulso publicitario, para incrementar las ganancias de sus propias tiendas minoristas.

Como último paso del plan, Goodyear comenzó a vender llantas explícitamente a expendios específicos de multimarcas como Sears, con una selección especial. También desarrolló un formato nuevo llamado solamente "Llantas", cuyos expendios se dedicaban únicamente a vender llantas en vez de combinar la venta de llantas con otros servicios rutinarios de mantenimiento.

La iniciativa más reciente de Goodyear ha sido una alianza con su competidor japonés Sumitomo Rubber. Con ventas totales de $4 700 millones en 1997, Sumitomo tiene los derechos a la marca Dunlop en importantes mercados del mundo. La alianza buscaba ahorros de $300 a $360 millones. Además, aunaba la fuerza de Sumitomo en el Japón con la fuerza de Goodyear en Norteamérica y Europa. La nueva combinación posee el 22,6 por ciento del mercado mundial de llantas, que suma en total $69,5 billones. Se ha convertido así en la protagonista principal, ya que Bridgestone administra el 18,6 por ciento, ligeramente por encima de Michelin con un 18,3 por ciento. Puede discutirse si la alianza resolverá o no los problemas de Goodyear, pero sí provee acceso a una serie de productos que amplían las opciones de Goodyear en cuanto a canales; y la esperanza, como bien lo demostró Charles Goodyear, siempre renace.

Canales de Goodyear

- Comprender los segmentos de clientes basados en las diferencias en la conducta de compra.
- Ganar en múltiples segmentos de clientes con diferentes canales y formatos.
- Valerse de la comercialización táctica analítica (por ejemplo desarrollo de locales nuevos) para una buena extensión.
- Concentrarse en mejoras operativas que acrecienten el valor.

Campeones de los canales: cómo GE suaviza los conflictos

La división de electrodomésticos de General Electric es uno de los primeros fabricantes estadounidenses de "mercancías blancas" — neveras, congeladores, estufas, quemadores, hornos de pared, lavaplatos, lavadoras de ropa. GE Appliances vende más de 10 millones de aparatos electrodomésticos en 150 mercados del mundo. Entre sus marcas se cuentan Monogram, GE Profile, Hotpoint y RCA.

A mediados de los ochenta, GE tenía una fuerte participación en tres de las cinco principales categorías de electrodomésticos en los Estados Unidos: neveras, estufas y lavaplatos. Además, en materia de canales de distribución ocupaba la posición de liderazgo en los segmentos de contratistas de construcción y distribución por parte de minoristas independientes — segmentos que representaban el 47 por ciento del mercado. GE era mucho más débil en los segmentos de megaconcesionarios y vendedores masivos, que dominaban el 53 por ciento restante.

Infortunadamente para GE, la industria minorista estadounidense para aparatos electrodomésticos y aparatos electrónicos de consumo estaba dando un vuelco. Los vendedores masivos y los megaconcesionarios estaban apuntando con éxito a un segmento de consumidores que buscaban productos básicos a los precios más bajos posibles. GE había hecho hincapié en estos nuevos canales para productos electrónicos de consumo, o "mercancias marrones", en un intento por acrecentar el volumen, con el resultado de que vio erosionarse sus márgenes y la lealtad a su marca. Los consumidores grandes estaban aprovechando su poder de compra para negociar precios cada vez más bajos con los fabricantes. Además, dichos consumidores pretendían mantener su imagen de precio bajo y se resistían a vender las líneas de productos más rentables de los fabricantes, o sea los de alto nivel. Como grupo, los distribuidores independientes, incapaces de competir con las ventajas de escala de los megaconcesionarios y los vendedores masivos, sufrieron grandes presiones en materia de ingresos y muchos liquidaron su negocio.

GE se salió de este negocio y decidió prevenir un fenómeno igual en el negocio de mercancías blancas.

Como parte de un esfuerzo concertado por fijar un curso de acción, GE exploró a cierta profundidad las cambiantes demandas de los consumidores y los canales. Por ejemplo, acudió a su mostrador de ayuda al cliente, el llamado Centro de Respuesta de GE, para reunir información valiosa sobre las preferencias en materia de productos y servicios. Además, dedicó tiempo a explorar las necesidades y el comportamiento de

EMPRESA	General Electric Company		
Entre las subsidiarias se incluyen	National Broadcasting Company, Inc. GE Capital Services GE Aircraft Engines		
DIRECCIÓN	3135 Easton Turnpike, Fairfield CT 06431-0001 USA Teléfono: 203-373-2211 Fax: 203-373-3497 URL: http://www.ge.com		
NEGOCIO	Electrónica, equipos eléctricos, alumbrado, energía, dispositivos médicos, plásticos, servicios financieros...		
ESTADÍSTICAS	Empleados	1997	276,000
	Ventas anuales (miles)	1998	$100,469
	Resultados anuales (miles)	1998	$9,296
	Otros datos	GE es la única empresa que figura en el indice industrial Dow-Jones hoy y que también aparecía en el índice original en 1896; GE encabezó la encuesta de *Fortune* sobre las empresas más admiradas en los Estados Unidos tanto en 1998 como en 1999.	

los consumidores y los canales, valiéndose para ello de otros métodos investigativos primarios.

GE encontró que la oferta de servicios y productos efectivamente variaba mucho entre los segmentos de canales, y éstos a su vez se alineaban naturalmente con las necesidades de ciertos segmentos de consumidores. En particular, GE se aseguró de que un segmento grande de clientes sí valoraba el servicio, las relaciones y la selección de productos de alto nivel ofrecidos por los canales de contratistas y consumidores de electrodomésticos independientes.

Si GE lograba encontrar la manera de reforzar la economía de los canales independientes contra el formidable ataque de los vendedores masivos y los megaconcesionarios, entonces el fabricante podría satisfacer este rentable segmento de consumidores y prevenir una repetición de lo sucedido con las "mercancías marrones".

Al ir comprendiendo mejor a los consumidores y los canales, GE encontró que el respaldo y los servicios provistos por el fabricante y necesarios para los consumidores independientes diferían notoriamente de aquéllos exigidos por los protagonistas de canales más grandes. Una de las diferencias más críticas era el patrón de la demanda impuesto a la red de distribución. Por ejemplo, los megaconcesionarios que estaban reponiendo inventarios grandes deseaban camiones llenos de un producto, conforme a un calendario previsible. En cambio, los independientes eran más erráticos en su demanda y requerían despachos más pequeños y mayor prontitud en la respuesta. Los consumidores pequeños y los contratistas de construcción no podían darse el lujo de mantener inventarios grandes. Por tanto, se veían obligados a limitar su oferta de productos, a cumplir sus plazos de entrega en forma desigual, y a depender más de la capacidad de los fabricantes para entregar pedidos pequeños (a veces de un solo artículo) oportunamente.

Otros ejemplos de las diferencias en los servicios requeridos son:

- Los contratistas de construcción necesitaban acceso las 24 horas a las copias heliográficas y dimensiones de los productos desde el local de construcción.
- Los minoristas pequeños requerían ayuda para la planificación del negocio general, cosa que los concesionarios grandes podían darse el lujo de efectuar por sí mismos.
- Los minoristas independientes necesitaban acceso rápido y fácil a la información sobre los productos de los fabricantes a fin de brindar a los clientes su conocimiento de los productos, diferenciador competitivo clave para estos canales.

GE emprendió una estrategia dual:
- Ampliar la oferta de productos electrodomésticos principales para suplir eficazmente las necesidades de los clientes atentos a los precios, bien atendidos por los conductos de megaconcesionarios y vendedores masivos. El objetivo: seguir mejorando las ventas por medio de estos canales crecientes sin dejar peligrar la posición de liderazgo en los demás canales.

- Reestructurar sistemas, procesos y organización a fin de atender mejor a los protagonistas de canales más pequeños y mejorar su economía. En particular, crear una capacidad de distribución a la altura de los patrones de demanda de estos clientes de los canales y reducir sus costos logísticos. Objetivo: generar una ventaja competitiva sustentable y seguir llegando en forma rentable al gran segmento de clientes tradicionales atendidos por estos canales.

Las oportunidades de distribución se atendieron mediante cambios fundamentales en el sistema de distribución física de GE, gracias a los cuales la empresa ahora ofrece respuesta pronta, alta disponibilidad para volúmenes pequeños y abastecimiento local. GE tuvo que construir y utilizar un sistema de bajo costo con muelles de transbordo para la distribución de sus productos. Como complemento de tal servicio de entrega se estableció un sistema de pedidos directos al fabricante llamado Premier Plus. Como resultado, los minoristas pueden hacer pedidos de productos directamente al sistema de planificación de inventarios y producción de GE, y recibirlos al día siguiente. Tal sistema permite que los pequeños minoristas de hecho pasen sus inventarios a GE, reduciendo así sus propios costos. A su vez, los concesionarios podían vender y exhibir un surtido más amplio de productos GE, incluidos los de alto nivel. Otro beneficio para GE fue que pudo mejorar la planificación de su producción y por ende reducir los costos de inventario de fábrica, por cuanto los pedidos de Premier Plus reflejaban la demanda real y no los despachos a los inventarios de los concesionarios. En total, se informa que GE redujo los costos de distribución y comercialización de estos concesionarios en más de un 10 por ciento.

Además de este sistema de logística, GE estableció otros servicios como parte del programa dirigido principalmente a empresas pequeñas. Los minoristas afiliados gozan de acceso a préstamos para revitalizar el negocio, juegos de elementos para remodelación de tiendas y software de administración de negocios. A ello se agrega la capacidad del minorista de adquirir equipos para negocios, software de computadora y servicios telefónicos con tarifas más bajas, negociadas por GE. Sin embargo, el canal valora estos elementos del programa mucho menos que la parte logística y el sistema de pedidos.

En muchos casos, a cambio de participar en el programa adquieren ciertos compromisos para con GE, como por ejemplo la participación del negocio, el volumen y la envergadura del cubrimiento de productos concedidos a GE.

Como resultado de tales esfuerzos, GE ha conservado una posición de liderazgo en los segmentos de minoristas independientes y contratistas de construcción, que siguen constituyendo aproximadamente el 40 por ciento del mercado. Los minoristas independientes elogian reiteradamente los esfuerzos de GE. En palabras de un minorista, "GE es absolutamente excelente en la prestación de servicios", y otro afirma que "GE hace lo imposible por ayudar a satisfacer al cliente". Los independientes han podido defenderse contra los vendedores masivos, y hay casos de algunos que citan márgenes de utilidad aumentados hasta en un 30 por ciento, así como incrementos de volumen considerables. GE pudo entregar pedidos especiales en un día mientras los competidores solían demorarse cuatro o cinco días. Quizá lo más notable es que el éxito de los esfuerzos de GE ha generado considerable valor para el cliente final. Los consumidores que buscan aquel servicio y surtido de productos propios de los protagonistas de los canales más pequeños siguen teniendo esta opción, y al mismo tiempo han visto mejorar sensiblemente tanto el servicio de entrega como la selección de productos.

GE también ha acrecentado su participación en el canal de megaconcesionarios y ocupa, en consecuencia, el segundo lugar en este segmento. Se estima que a GE también le corresponde el segundo lugar en cuanto a participación en el canal de tiendas minoristas por departamentos, formado principalmente por Sears. En el proceso de mejorar su posición en materia de participación, GE le ha devuelto a la división sus niveles de rentabilidad históricos, con un margen de operación del 11 por ciento comparado con los márgenes de alrededor de un 8 por ciento que imperaron a finales de los años ochenta.

Canales de GE

- Reconocer y apoyar la viabilidad económica de los canales tradicionales
- Ser dueño del rostro que se le da al cliente: servicio al cliente, reparaciones, entregas.
- Manejar múltiples marcas y modelos en los diferentes canales de distribución, con el fin de minimizar los conflictos.

GE toma la carretera

Tan robusta es la modalidad aplicada por GE y Jack Welch que bien podría trasladarse a muchas otras industrias. Todo comienza a verse desde una perspectiva nueva al darse cuenta de que el producto no lo es todo y que resulta más importante agregar los servicios indicados para las personas indicadas y en el momento oportuno.

¿Qué tal, por ejemplo, que GE decidiera darle una sacudida a la industria automotriz?

Analizando dicha industria Jack Welch vería una llamativa oportunidad de elevar el valor para los accionistas aplicando lo que se había perfeccionado en GE. Su estrategia encerraría dos elementos básicos: crecimiento rentable mediante los servicios y reducción grande de costos.

Tal como sucedió con sus negocios de dispositivos médicos, motores de avión y otros, Welch vería el mercado automotor en gran medida como un mercado maduro de productos de ingeniería con un enorme potencial de crecimiento mediante los servicios. Él se ha lamentado de que sólo el 60 por ciento de las ganancias de GE provienen de servicios, y ha expresado el deseo de que esta cifra se eleve al 80 por ciento. En la industria automotriz, creemos que Welch identificaría la mejor oportunidad como la de servicios secundarios o "corriente abajo". Trataría de aprovechar las fuertes capacidades en materia de crédito y servicios financieros superiores así como la innovación avanzada que han hecho de GE Capital el principal impulsor del crecimiento de la empresa. Desearía cosechar los beneficios de reformar la industrias sin producir ningún artículo físico.

Welch vería también grandes oportunidades para reducir costos y mejorar la calidad en las actividades corriente abajo. Reconocería claramente que al vehículo se le agrega un monto desproporcionado de costos una vez que sale de la puerta de la fábrica, debido al canal de consumidores ineficiente y anticuado, desalineación entre los incentivos de los OEM y los concesionarios, y prácticas de operación menos que óptimas. Además, se daría cuenta del desagrado expresado por los clientes por su experiencia con los concesionarios y la importancia de satisfacer al cliente. Vería, como en GE, que la clave para reducir costos está en la calidad de las operaciones corriente abajo. Fijaría metas para mejoras drásticas y motivaría a gerentes capaces de cumplirlas.

¿Sueños? Quizá. Pero pensemos en la excelente base que tiene Jack Welch. La unidad de servicios financieros para automóviles de GE ya ofrece productos financieros de seguro y *leasing* a los clientes finales. Dicha unidad también vende a los concesionarios variedad de servicios financieros, entre ellos financiación de autos de alquiler, de inventarios y de servicios comerciales. Además, GE Capital Fleet Services es la empresa de administración de flotas más grande del mundo y presta diversos servicios además de *leasing:* programas de mantenimiento, programas de prevención de accidentes, programas para rastrear el consumo de combustible, divulgación de las mejores prácticas y administración de reventas.

Welch bien podría emprender una misión para ampliar estas posiciones hasta convertirse en el proveedor número uno de respaldo de venta y posventa, comenzando en los Estados Unidos y extendiéndose luego a Europa, seguida de otras regiones del mundo. Se propondría alterar fundamentalmente la parte de la cadena de valor corriente abajo y luego emplear su fuerza para impulsar mejoras hacia arriba por la cadena de valor. Ello se lograría mediante tres impulsos.

En el primero, Welch amplía el negocio de vender servicios financieros a concesionario y comienza a prestar la mayor parte de los servicios que un concesionario necesita para funcionar. Emplea esa capacidad para contratar operaciones de concesionario a un costo más bajo del que puedan conseguir los concesionarios por su cuenta. Además, adquiere activamente su propio conjunto de concesionarios. Sus ventajas competitivas surgen al aplicar las mejores prácticas y economías de escala, a la vez que racionaliza su creciente red de concesionarios propios de GE y administrados por ella para reducir costos y mejorar el servicio al cliente.

En segundo lugar, sigue acrecentando su negocio de administración de flotas, ampliando su alcance para ofrecer *leasing* con todos los servicios para cualquier tipo de cuenta de negocios. Puede administrar todos los aspectos de propiedad de vehículos nuevos y usados. Ofrece un amplio abanico de planes de financiación y *leasing* que le permite vender el servicio de movilización a clientes de negocios o incluso administrarle la flota al cliente. Aprovecha las mejores prácticas, una experiencia e información superiores y la economía de escala para prestar estos servicios a un costo más bajo del que podrían lograr los clientes por sí mismos y un costo más bajo del que ofrecen sus competidores.

En tercer lugar, se esfuerza por transformar el paradigma de propiedad del automóvil para los consumidores. En vez de concentrarse en vender automóviles, ofrece vender a los consumidores contratos de movilización en los cuales éstos efectúan un pago periódico que incluye uso del vehículo, seguro, mantenimiento y otros servicios personalizados. Ofrece una amplia serie de programas individualizados según las necesidades y los intereses de cada consumidor. Por ejemplo, el contrato de movilización de un individuo podría incluir asistencia de carretera rápida e integral para los interesados en seguridad o cursos de conducción avanzados para el entusiasta del volante. También se desarrollan continuamente servicios novedosos para vender a los clientes finales. Aprovecha las capacidades en materia de tecnología y administración de la información de crédito de los consumidores a fin de reunir a profundidad datos sobre las necesidades y comportamientos de los compradores de automóviles. La información se emplea para venderle movilización al cliente y administrar su experiencia en tal sentido más eficaz y eficientemente de lo que se logra por los medios tradicionales. Por ejemplo, puede brindar una serie de opciones de reemplazo personalizadas para consumidores cuyos contratos de movilización estén a punto de vencer, poniéndose en contacto con ellos antes del vencimiento con incentivos atractivos para pasar pronto a un nuevo contrato. De esta manera resulta mucho más fácil prever, y por tanto administrar, la demanda.

Por otro lado, Welch adquiere una gran habilidad para maximizar el valor de un vehículo a lo largo de todo el ciclo de vida. Con la opción de retener la propiedad del vehículo durante su vida útil, el valor de este activo puede administrarse mejor. Los valores nuevos y retenidos pueden optimizarse mediante la administración cuidadosa e integrada de variedad de programas, garantías, programas de mantenimiento, vigilancia de uso, contratos de movilización de diferentes tipos y duraciones, incentivos y desincentivos contractuales para los clientes en materia de valor retenido, programas de alquiler, rotación de flotas, inventario y venta de automóviles usados — todo ello a escala nacional o global.

Para hacer realidad su osada visión, GE asume posiciones no sólo entre concesionarios sino también entre otros proveedores de servicios según sea necesario, con el fin de lograr una posición de liderazgo y poder controlar todos los elementos de servicio necesarios al menor costo posible.

Por ejemplo, algunas de estas adquisiciones serían redes de servicio y reparación, otras compañías de *leasing*, compañías de subasta de automóviles usados, compañías de alquiler de automóviles y proveedores de sistemas de administración de flotas.

Jack Welch persigue su visión inexorablemente, como ha solido hacer en GE. Fija metas extraordinariamente altas para sus gerentes, y sus expectativas son más altas todavía. El incumplimiento de sus altos objetivos sencillamente es inaceptable. Exige un enorme crecimiento simultáneo de los márgenes de utilidad, la participación en el mercado y la calidad — y lo logra. Avanza a una velocidad que sorprende a toda la industria, especialmente teniendo en cuenta su insistencia en mejorar el desempeño tanto a corto como a largo plazo: "No se puede crecer a largo plazo si no se puede comer a corto plazo".

Al cumplirse cada vez más las ambiciones de GE corriente abajo, Welch hace gala de su poder para alterar el juego corriente arriba, y los fabricantes de vehículos así como sus proveedores se ven obligados a doblegarse ante su voluntad. Su alta participación en las ventas y servicios en el mercado estadounidense le merecen una notable influencia ante los productores. Jack también posee información superiorísima acerca de las necesidades y deseos de los consumidores. Por consiguiente, comienza a dictarles a los productores los requisitos en materia de diseño de vehículos.

Proyecta su desdén por la burocracia, exigiendo recortes masivos en las funciones de ventas, comercialización y servicio de los productores, puesto que no necesita tal respaldo ya que ha forjado las capacidades necesarias por sí mismo. Al ir mejorando su capacidad para proyectar y controlar la demanda y los consumidores mediante sus diversos programas de administración de los clientes y de los ciclos de vida de sus activos, va brindando mejores proyecciones a los productores; pero a cambio, exige tanto reducción de costos de la cadena de abastecimiento, reflejado en los precios, como tiempos de respuesta más cortos.

Aprovecha su poder en el mercado de respuestos para suprimir márgenes de utilidad sobre respuestos de los productores y, en algunos casos, entendiéndose directamente con los proveedores de los productores o con otros proveedores a fin de lograr mejores precios y respaldo. Además, Welch comprende que para muchos vehículos la experiencia de los clientes corriente abajo influye más en la satisfacción y la lealtad que aquellas variables controladas por el fabricante (por ejemplo el diseño del vehículo). Gracias a ello y al tamaño de su operación, puede comenzar a insistir en que los productores presenten ofertas por el privilegio de abastecer su negocio de ventas y servicios. Para su cartera, selecciona cuidadosamente y a su gusto los mejores modelos de diversos fabricantes. Como resultado, la fuerza de la marca de los fabricantes se reduce mientras la suya aumenta. Se acentúan las presiones competitivas sobre los fabricantes, y corriente arriba se producen más reestructuración y consolidación.

Como es de esperar, en esta historia los OEM y sus proveedores maldicen el día en que Jack Welch se puso a analizar la cadena de valor en la industria automotriz y emprendió la misión de mejorarla fundamentalmente aprovechando los servicios y reduciendo los costos corriente abajo.

¿El anterior escenario corresponde al país de los sueños? En tal caso, ¿qué tipo de sueño es? ¿Pura fantasía, pesadilla o un sueño que puede hacerse realidad? Muchas personas en la industria automotriz expresan verdadera inquietud ante la posibilidad de que surjan poderosos canales nuevos a raíz de la rápida evolución de los canales. Ya se ciernen en el horizonte grandes conflictos entre canales.

Campeones de los canales: la ruta directa

En años recientes, algunos de los éxitos de negocios más notables han ocurrido en empresas que crean nuevos canales.

En ninguna industria es ello más cierto que en la de servicios financieros. First Direct (ahora parte de la Hong Kong Shanghai Banking Corporation) fue la primera empresa que ofreció banca telefónica en el Reino Unido. First Direct se estructura en torno a una pregunta sencilla: ¿Qué recursos (humanos y tecnológicos) se necesitan para ofrecer un canal de banca telefónica? En respuesta, la empresa creó un canal nuevo para llegar a los profesionales jóvenes demasiado ocupados para ir a una sucursal bancaria durante el día.

First Direct se lanzó en 1989 con bombo y platillos. Una campaña publicitaria muy peculiar, a veces simplemente desconcertante, señaló el bautismo de la banca telefónica en la conciencia del público. Fue algo atrevido — First Direct se proponía encabezar una revolución bancaria — y arriesgado. Al público no necesariamente le agrada un advenedizo irreverente, especialmente cuando éste maneja su dinero.

First Direct insistió con sus teléfonos aunque no comenzó a ser rentable hasta 1994. Ahora su publicidad es más fácil de digerir, y un caudal sostenido de clientes está convenciéndose del placer de efectuar débitos directos a las tres de la mañana. Con 550 000 clientes y otros 10 000 que se afilian cada mes, First Direct predijo que para el año 2000 tendría un millón de clientes. No está mal si consideramos que la mayoría de los comentaristas vieron en First Direct un negocio de nicho

EMPRESA	First Direct	
DIRECCIÓN	Poultry, London, United Kingdom EC2P 2BX Teléfono: 0171-260-800 URL: http://www.firstdirect.com	
NEGOCIO	Banca en línea	
	Otros datos	Forma parte de Midland Bank, perteneciente a HSBC Holdings PLC

pequeño más que un protagonista principal en el ámbito de los servicios financieros.

Los clientes están afiliándose a un banco sin sucursales, aceptando las líneas telefónicas como su principal eslabón con su dinero. "Somos un banco alejado de nuestros clientes. No somos tangibles; por tanto, todas nuestras comunicaciones — por teléfono, correo o Internet — son directas. Así es como hacemos los negocios", dice Peter Simpson de First Direct. "El diálogo inteligente con nuestros clientes reemplaza la tradicional relación cara a cara".

First Direct cuenta con un complejo industrial y dos edificios, uno de ellos del tamaño de una cancha de fútbol generosamente expandida. Sus costos son bien contenidos y el ahorro se traslada al cliente. Pero no se trata únicamente de costos reducidos. La organización que de allí resulta es bien diferente en su perspectiva del banco tradicional. "Nuestros gerentes están tratando de alejarse de la forma jerárquica de gestión a una en la cual todas las personas en todos los niveles comprendan sus papeles, y donde los gerentes cumplan un papel más de instrucción que de supervisión", dice el director ejecutivo de First Direct, Kevin Newman, para quien los empleados que atienden directamente a los clientes son "generadores de ganancias" y los demás son "los que mejorarán las ganancias de mañana". Newman sostiene que en la industria bancaria las funciones de relaciones humanas y de informática revisten igual importancia. La inversión en estas funciones, dice, es el medio principal para hallar oportunidades de ahorrar o recortar costos y hacerse rentable. Es éste un argumento que apenas ahora comienza a convencer a los bancos tradicionales.

First Direct ha dado una sacudida a la relación tradicional entre banco y cliente. No más reuniones angustiosas con el gerente. Adiós a las colas delante de la ventanilla. Ello es irónico cuando recordamos que, en realidad, First Direct es una división de Midland Bank, el cual es a su vez parte del gigantesco HSBC. Cuando Midland analizó las posibilidades de la banca telefónica, llegó a la conclusión de que para salir adelante una organización tendría que comenzar desde cero. Tratar de transformar al Midland, con sus 1 500 sucursales, en una operación de banca telefónica no era el modo de comenzar.

Las investigaciones de mercado iniciales, antes del lanzamiento del banco, indicaron que para tener éxito se requerirían cuatro cosas: velocidad, comodidad, beneficio de valor para el cliente y calidad de servicio. "Nos dimos cuenta de que los aspectos de diferenciación tradicionales — tener un concepto excelente o un producto de alta calidad — no bastarían en sí, pues los competidores pueden copiar las ideas muy rápidamente hoy, y quizá aun mejorarlas, puesto que tienen la oportunidad de aprender de nuestros errores", dice Newman.

El aspecto llamativo de First Direct es su capacidad de respuesta superior a la de cualquier otra organización de servicios financieros. Y las investigaciones muestran que se le percibe como la organización bancaria de mejor servicio en el Reino Unido. First Direct es casi evangélico en su fervor, palabras éstas que no se asocian normalmente con la hermandad bancaria. La prueba de fuego para sus representantes es "el momento de la verdad": al atender su centésima llamada telefónica al final de un atareado turno de siete horas, ¿seguirán tan entregados a su labor que todavía les interese tratar a este último cliente como alguien muy especial?

El éxito de First Direct se basa en parte en el reconocimiento de que un servicio de calidad no es simplemente cuestión de dominar la parte mecánica y hacer lo que el cliente pide, sino que también depende de la manera como se haga. Responder el teléfono antes que timbre cuatro veces es un noble objetivo, ¿pero de qué sirve si no se puede brindar una ayuda al contestar? First Direct calcula que sus representantes que contestan al teléfono están capacitados para resolver el 85 por ciento de las peticiones y consultas. Como el 98 por ciento de sus empleados nunca habían trabajado para un banco, no llevan el lastre de las ideas preconcebidas sobre cómo deben hacerse las cosas, o cómo se hacían antes.

En lo que respecta a su personal, First Direct es sumamente selectivo. Su tipo de servicio positivo no es para todos. Dice Kevin Newman: "Nosotros contratamos personal guiados por una serie de criterios, de los cuales la actitud no es el menor. Fundamentalmente, buscamos individuos capaces de relacionarse con el cliente, capaces de escuchar (destreza ésta muy subestimada), que probablemente tengan cierta facilidad para los números, y que sepan expresarse bastante bien. Pensamos que con la inversión que hemos hecho en computadores podemos enseñarle al personal el aspecto bancario de la operación. Lo que no podemos enseñarle a la gente es el conjunto de principios, así como no podemos imponerle nuestra cultura".

Como es natural, el éxito de First Direct no ha pasado inadvertido. Ahora la mayor parte de los grandes bancos están ofreciendo el servicio telebancario como alternativa a sus servicios tradicionales; el investigador de mercados Mintel estimaba que para finales de siglo el 20 por ciento de las operaciones bancarias de rutina se efectuaría por vía telefónica.

Canales de First Direct

- Velocidad
- Comodidad
- Beneficio de valor para el cliente
- Calidad del servicio
- La cultura se hace, no se compra

Campeones de los canales: organizados para suministrar

El mejoramiento del valor fundamental exige coherencia entre funciones. También exige coherencia entre los linderos organizacionales internos y externos y entre los horizontes de plazos para decisiones.

Los asuntos relacionados con canales suelen ser complejos. Usualmente entran en juego varios segmentos de clientes así como múltiples canales que cumplen varias funciones. Aunque los canales deben disecarse y analizarse a nivel de función individual, ellos forman un sistema con nexos y caminos interconectados y éstos también deben analizarse y comprenderse. Organizadas en torno a canales, las empresas forman redes.

W. W. Grainger se fundó en 1927 cuando William W. Grainger reconoció la necesidad de una organización eficiente para la venta mayorista de motores eléctricos, organización capaz de entregar productos a los clientes más pronto de lo que podían hacerlo los fabricantes de motores. Montó un negocio en Chicago y generó ventas mediante un catálogo de ocho páginas que llamó el Libro de Motores.

EMPRESA	W. W. Grainger		
DIRECCIÓN	455 Knightsbridge Parkway, Linconshire IL 60069-3620 USA Teléfono: 847-793-9030 Fax: 847-647-5669 URL: http:// www.grainger.com		
NEGOCIO	Mayorista— suministros de mantenimiento, reparación y operación		
ESTADÍSTICAS	Empleados	1997	15 299
	Ventas anuales (miles)	1998	$4 341
	Resultados anuales (miles)	1998	$238,5
	Otros datos	El 70 por ciento de los negocios en los Estados Unidos se encuentran a 20 minutos de una sucursal de Grainger	

Grainger no es un negocio de productos atractivos, y nunca lo ha sido. Por ejemplo, vende bombas de sumidero y ventiladores para bodegas a pequeños fabricantes, concesionarios y distribuidores, y es el principal distribuidor de suministros e información afín para mantenimiento, reparación y operación.

W. W. Grainger se estableció para explotar la diferenciación basada en servicios. Los productos eran los mismos pero W. W. Grainger los hacía llegar al cliente más pronto. En cuestión de seis años, su fama de buen servicio había hecho elevar sus ventas a $250 000 dólares. En 1997 superó los $4 billones.

La filosofía de Grainger sigue sin variar. Las empresa cuenta con más de 1 500 representantes de ventas de tiempo completo; tiene bases de datos electrónicas que le permiten buscar productos por número de modelo del fabricante, nombre de marca, descripción o número de inventario; y para asegurar la disponibilidad del producto tiene una red de satélites que conecta 350 sucursales locales, dos centros de distribución regionales, un centro de distribución nacional y seis centros de distribución zonales en los 50 estados.

Gracias a tal sistema, Grainger provee más de 190 000 piezas de repuesto y reparación provenientes de más de 550 proveedores. A todas ellas hay acceso las 24 horas, todos los días de la semana. La red es tal, que el 70 por ciento de los negocios estadounidenses se encuentran a 20 minutos de alguna sucursal de Grainger. Para Grainger la red lo es todo.

Es importante señalar que cuando la empresa entró al Canadá, no fue acrecentando su presencia lentamente sino que compró una cadena ya establecida, Acklands (por $251,8 millones en 1996), de modo que contó con una red que ya existía.

La resistencia de Grainger puede atribuirse a su voluntad de buscar canales nuevos continuamente y refinar los que ya está empleando. Sus sistemas de logística, estructurados en torno a la reposición continua, se mejoran constantemente.

Más recientemente, Grainger ha entrado en colaboración con Perot Systems Corporation para desarrollar una solución de comercio negocio a negocio con base en la Internet y cuyo objetivo es mejorar la compra de suministros, equipos y servicios para negocios. "En Grainger reconocemos que con el avance de la tecnología muchos clientes optarán por comprar productos por medio de canales novedosos", dice el presidente de la junta y director ejecutivo Richard Keyser. Con esta colaboración se formará un sistema de compras en un mismo lugar y se espera agilizar las compras para las empresas pequeñas y medianas.

Canales de Grainger

- Diferenciar el servicio prestado por el canal.
- Aprender y mejorar continuamente el modelo del canal.

Capítulo 9

Maximización de las economías de canales

Las ideas son buenas por un tiempo limitado, no para siempre. La Internet y otros canales nuevos pueden alterar fundamentalmente la naturaleza de la empresa. Es preciso dar un vuelco. Cierta sociedad anónima en Tokio ha invertido $40 millones de dólares para asegurar una ventaja de dos segundos.

Las leyes tradicionales de depreciación en la contabilidad ya no vienen al caso.

Las orquestas tienen que transformarse en conjuntos de jazz.

—JEFF SAMPLER, LONDON BUSINESS SCHOOL

Los campeones de los canales producen una revolución en sus industrias.

AutoNation está revolucionando la industria minorista automotriz con sus supertiendas de automóviles usados, y sus compras de compañías de alquiler de autos indican que está pensando en la administración del ciclo de vida del automóvil. Wayne Huzinga ha dado un vuelco a la administración de desperdicios, el alquiler de videocintas y ahora la venta minorista de automóviles.

A medida que crece la diferenciación basada en servicios, que se descubren segmentos nuevos y que la segmentación por compra y propiedad se torna más compleja, va produciéndose una transformación en muchos negocios.

Hay más de un Michael Dell.

Para que se produzca el cambio, se requieren nuevas maneras de pensar en la economía del negocio. Las empresas deben hallar oportunidades para cambiar la economía del mercado cambiando los canales o realineando los actuales.

Pensemos en los canales que están emergiendo rápidamente en el negocio de la música. "Grupos como el Internet Underground Music Archive están colocando en la red pistas sonoras digitales de artistas desconocidos, subvirtiendo en potencia el papel de las empresas disqueras", según informan Jeffrey Rayport y John Sviokla de Harvard Business School. "La tecnología de hoy faculta a los músicos para grabar y editar el material por sí mismos a bajo costo, luego distribuirlo y promoverlo por redes como la World Wide Web o por servicios comerciales en línea. También pueden probar las reacciones de los consumidores a su música, formar un público para sus presentaciones grabadas y distribuir sus productos, todo ello por el mercado electrónico.

La lógica comercial es sencilla. "A veces resulta más rápido, mejor y menos costoso traer música al mercado por medio del mercado electrónico".

La transformación de las industrias está en el orden del día. El *gurú* en estrategia Gary Hamel, coautor de *Competing for the Future*, sostiene que existen tres tipos de empresas. Primero están "las verdaderas hacedoras", empresas como British Airways y Xerox. Éstas son la aristocracia — bien administradas, siempre de alto rendimiento. Enseguida, dice Hamel, están las segundonas, "campesinos que se quedan únicamente con lo que el Señor no desea". "Este grupo suele tener como el 15 por ciento del mercado — como Kodak en el negocio de copiadoras o Avis; el lema de Avis, *'Nosotros nos esforzamos más'*, fue un monumento al campesinado en su declaración de misión. Esforzarse más no conduce a nada", dice Hamel con desdén.

En tercer lugar están las "rompedoras", las revolucionarias industriales. Se trata de las empresas que, en concepto de Hamel, están creando la nueva riqueza — como Starbucks en el negocio del café. "Las empresas deben estarse preguntando quién va a captar la nueva riqueza en su industria", dice.

Cuando Hamel habla de cambios, no está pensando en remiendos en la periferia. "El objetivo primario es ser el arquitecto de la transformación de la industria, no sólo de la transformación corporativa", dice. Las empresas que miran el cambio como un asunto interno corren el riesgo de quedar a la zaga. Lo que deben hacer es mirar más allá de los linderos de su industria. Hamel estima que si se desea ver el porvenir que se aproxima, el 80 por ciento del aprendizaje tendrá lugar fuera de las fronteras de la empresa y la industria. Al respecto, las empresas no son muy diestras. "Afortunadamente para ellas, las empresas en la mayor parte de las industrias padecen la misma ceguera", dice Hamel. "El futuro no tiene nada de inevitable. Nadie tiene los datos exclusivos acerca del futuro. La meta es imaginarse aquello que uno pueda hacer realidad".

Y sin duda, habrá cambio. Los mercados pueden convertirse en víctimas de su propia madurez. Al ir madurando los mercados, la diferenciación basada en factores ajenos al producto en sí empieza a determinar las opciones elegidas por los clientes y los linderos pertinentes entre segmentos de los clientes. El aspecto económico fundamental cambia, como también la base de la competencia. El poder fluye corriente abajo hacia los canales de distribución creadores de aquella diferenciación valorada por los clientes (y hacia los clientes mismos). Surgen nuevos canales de poder que plantean grandes retos estratégicos y operativos a los fabricantes. En todo caso, los costos y la eficacia más allá de la puerta de la fábrica y más allá de los linderos de la compañía fabricante se convierten en factores cada vez más críticos para el crecimiento y el éxito.

CANALES DE COMPUTADORES PERSONALES

La industria de computadores personales (PC) ha visto muchos cambios dramáticos en su historia relativamente corta. Comenzando con la innovación tecnológica, ha evolucionado pasando por varias fases hasta convertirse en una industria grande y compleja con protagonistas de muchos tipos. En un principio, la industria de PC se vio impulsada por una tecnología nueva creada por unos pocos pioneros. Éstos comenzaron a vender productos bastante burdos mediante canales directos: IBM tenía su personal de venta directa, Apple vendía computadores directamente a ingenieros, quienes respondían a avisos publicados en las revistas. Además, la integración de la industria era bastante vertical según las normas actuales, lo cual dificultaba la participación por parte de unas pocas empresas.

Pero la situación se alteró rápidamente a medida que la industria comenzó a atraer a una gran variedad de advenedizos. Éstos podían confiar en conjuntos de proveedores de rápida maduración para virtualmente todas las partes del PC, incluso la mayor parte del valor agregado fabril. Por otra parte, al ir mejorando la calidad del producto y la tecnología, y a medida que una clientela masiva se iba sintiendo más a gusto con el producto, la amplia expansión del mercado se facilitó gracias a una abundancia de canales minoristas. Estos canales eran, desde luego, mucho menos costosos y gozaban de un alcance superiorísimo al de aquellos modelos de venta directa empleados en un principio. Los costos de venta se redujeron de un 20 por ciento de los ingresos de la industria, en promedio, a un 12 por ciento.

Los nuevos competidores eran en su mayoría ensambladores que competían con su capacidad para agregarle al diseño lo más novedoso en componentes y características, para desarrollar fuertes posiciones de canal y, cada vez más, para prestar buen servicio al cliente. Algunos de los grandes ganadores en esta fase de la evolución de la industria no eran los pioneros iniciales sino advenedizos que conquistaron posiciones poderosas: Compaq, Packard Bell, HP, DEC. Merece destacarse el modo en que el mercado se comenzó a segmentar, con varios protagonistas que alcanzaban el éxito en diferentes partes del mercado, unos que atendían cuentas corporativas y otros que suplían nichos específicos de la industria o bien el mercado residencial.

Como era de esperar, las presiones competitivas aumentaron para estos ensambladores, y luego la industria sufrió cierto asentamiento. Para las posiciones del mercado más grandes, las economías de escala cobraron una importancia mucho mayor en áreas como el desarrollo de productos, la comercialización, las compras y las inversiones en servicio al cliente. Para sobrevivir, los competidores tenían que extirpar inexorablemente costos de todos los elementos de la cadena de valor. Cada vez más, se compraban componentes a los mismos proveedores mientras los mismos subcontratistas de bajo costo suministraban el relleno de los tableros o incluso, en algunos casos, el ensamble final. La siguiente fase en la evolución de la industria intensificó las presiones competitivas sobre los ensambladores sobrevivientes que vendían por canales minoristas. Así como los ensambladores originales habían aprovechado las flaquezas de la modalidad original de ventas directas, los nuevos protagonistas adoptaron otro canal que aprovechaba las flaquezas de los ensambladores: una modalidad de venta directa totalmente nueva y diferente del modelo que tuvo la industria al principio. Este modelo está reestructurando la industria hoy, generando nuevos ganadores a expensas, en parte, de la anterior generación de vencedores.

Un clásico del cine belga

En un artículo publicado por *Harvard Business Review* en 1997, W. Chan Kim y Renee Mauborgne — dos académicos de la escuela francesa de negocios INSEAD — esbozaron los resultados de un estudio quinquenal. Estudiaron treinta empresas de alto crecimiento en el mundo y encontraron que aquello que las distinguía de las firmas de menos éxito era su manera de abordar la estrategia.

Dicha investigación dio origen a la teoría de la "innovación de valor" — algo con importantes implicaciones para la gestión de canales. En esencia, lo que Chan Kim y Mauborgne sugieren es que las empresas de mayor éxito no se limitan a tratar de adelantarse en un paso sino que reinventan el juego.

Lo explican así: "Las empresas de menos éxito tenían una actitud convencional. Su pensamiento estratégico estaba dominado por la idea de mantenerse adelante de la competencia. En claro contraste, las empresas de alto crecimiento prestaban escasa atención a la idea de igualar o superar a sus rivales. Lo que pretendían era restarles toda importancia a sus competidores mediante una lógica estratégica que nosotros llamamos *innovación de valor*".

Por ejemplo, Chan Kim y Mauborgne relatan la historia de Bert Claeys, una empresa belga que opera salas de cine. El negocio de salas de cine en Bélgica decayó constantemente entre los años sesenta y ochenta. Con el auge de las videograbadoras y de la televisión por cable y satélite, el número de veces que un belga iba a cine en un año se redujo de un promedio de ocho a un promedio de dos.

Para comienzos de los ochenta, muchas salas de cine tuvieron que cerrarse. Las que quedaban, libraban una competencia reñida por un mercado en contracción. Todos seguían la misma estrategia, convirtiendo los cinemas en multiplexes hasta con 10 pantallas. Al mismo tiempo, ampliaron la variedad de películas para atraer una clientela más diversa. Incrementaron sus servicios de bebidas y alimentos y aumentaron el número de proyecciones diarias.

Pero en 1998 todos estos esfuerzos perdieron importancia cuando Bert Claeys creó Kinépolis — el primer megaplex del mundo (que viene a ser básicamente un canal mejorado para ofrecer la experiencia de la sala cinematográfica). Con 25 pantallas y 7 600 sillas, ofrecía a los cineastas un servicio radicalmente superior y le devolvió la magia a una noche de cine.

Otros teatros belgas, incluso los multiplex, por ejemplo, tenían salas pequeñas, pantallas que medían unos siete metros por cinco metros y equipo de proyección de 35 milímetros. Las salas en Kinépolis tienen hasta 700 sillas, con suficiente espacio entre filas para que una persona no tenga que moverse cuando alguien desea pasar. Bert Claeys instaló sillas enormes con brazos individuales y diseñó el espacio interior con una inclinación muy marcada para asegurar que cada cliente pudiera ver sin obstrucción.

En Kinépolis, las pantallas miden hasta 29 metros por 10 metros y descansan sobre sus propios cimientos, de modo que las vibraciones sonoras no se transmitan de una pantalla a otra. Muchas salas tienen equipo de proyección de 70 milímetros y equipo de sonido ultramoderno.

Kinépolis conquistó el 50 por ciento del mercado de Bruselas en su primer año y amplió el mercado como en un 40 por ciento. Para juzgar su impacto, basta escuchar: muchos belgas ya no hablan de una noche de cine sino de una noche en Kinépolis.

La películas, como productos, siguieron siendo iguales, naturalmente. Pero la experiencia del cineasta mejoró gracias a la creación de un canal nuevo — o al menos mejorado. Al mismo tiempo, Bert Claeys logró márgenes de utilidad que eran superiores al doble del promedio para la industria.

Campeones de los canales: la diferencia de Daewoo

El forjar mercados nuevos y nuevos canales no es simple cuestión de pensar en términos más amplios. Las empresas tienen que pensar con imaginación. Si no existen los canales apropiados, quizá el fabricante tenga que inventarlos. La entrada de Daewoo en el mercado británico de automóviles ofrece un buen ejemplo. Daewoo creó una modalidad de canal radical para suplir ciertas necesidades de los clientes que el canal existente no lograba satisfacer bien. Comenzó el proceso con una extensa campaña de investigación del mercado para ver qué deseaban los clientes en una nueva empresas de automóviles. La campaña se efectuó con un número telefónico gratuito y una promoción para 200 oportunidades de conducir el auto gratis durante un año. El resultado fue una base de datos de 200 000 clientes-objetivo.

El mensaje importante de tal ejercicio fue que el punto de partida que tomó la empresa fueron los clientes y los intereses y quejas de éstos. En esta etapa no se

EMPRESA	Daewoo Group		
Entre las subsidiarias se incluyen	Daewoo Motor Daewoo Securities Co., Ltd. Daewoo Electronics		
DIRECCIÓN	541 Namdaemunno 5-ga, Chung-gu, Seúl, Corea Teléfono: +82-2-759-2114 Fax: +82-2-753-9489 URL: http://www.daewoo.com		
NEGOCIO	Vehículos automotores y autopartes		
ESTADÍSTICAS	Empleados	1997	265 044
	Ventas anuales (miles)	1997	$71 526
	Resultados anuales (miles)	1997	$527
	Otros datos	Daewoo Group tiene más de 30 compañías nacionales y unas 400 subsidiarias extranjeras	

mencionó el producto de Daewoo, sino que la empresa captó el residuo de descontento entre los consumidores. Daewoo encontró que, análogamente a lo que había indicado la investigación de J. D. Power en los Estados Unidos, los clientes en el Reino Unido estaban descontentos con el sistema actual. En particular, les molestaba el trato que recibían al ir a comprar un automóvil. Tampoco les agradaba el servicio de posventa que recibían. De hecho, Daewoo se posicionó como el aliado del cliente.

Daewoo reconoció los conflictos de interés inherentes entre fabricantes y concesionarios y conceptuó que una red convencional de consumidores de franquicia no le daría los resultados deseados. Al mismo tiempo, comprendió las diferencias en las economías de las diversas funciones de los canales. En respuesta, estructuró un canal de tres niveles:

- 30 expendios "insignia" de automóviles que le pertenecen en su totalidad y que no prestan servicio ni venden vehículos usados
- 100 locales secundarios que también le pertenecen en su totalidad, los cuales venden automóviles nuevos, prestan servicio y también venden vehículos usados
- 136 locales de servicios terciarios situados en Halfords, una cadena independiente de centros para repuestos y servicio, pero atendidos por personal de Daewoo

El hecho de comprender a sus clientes le permitió a Daewoo diseñar cada elemento de la experiencia de venta y propiedad con miras a maximizar la satisfacción y proveer una imagen constante de la marca. La empresa buscó concienzudamente establecer y mantener relaciones directas con los clientes, sin ninguna confusión sobre quién impulsaría la satisfacción y la lealtad — si el canal o el fabricante. Desde el comienzo, el sistema de Daewoo le valió un éxito sin precedentes para un recién llegado al Reino Unido, en lo que respecta al reconocimiento de la marca, consideración por el producto entre los consumidores y participación en el mercado.

Canales de Daewoo

- Comenzar no con los productos sino con los clientes
- Utilizar la información sobre los clientes para crear los canales
- Aprovechar las flaquezas de los canales actuales
- La necesidad agudiza el ingenio

DE LOS PC AL RESTO DEL MUNDO

Hay cierto paralelismo entre la industria de PC y la automotriz (oferta de productos cada vez menos diferenciada con creciente importancia del servicio y el respaldo, ineficiencias en los conductos de distribución, tendencia hacia modelos de comercialización más directa e influencia acelerada de Internet, y márgenes escasos en la venta de productos nuevos), e interesantes lecciones que aprender de la experiencia de la industria de PC.

Campeones de los canales: directamente de Dell

Entre los nuevos vendedores directos, el más prominente ha sido Dell. Valiéndose primero de las ventas telefónicas y más recientemente de Internet, Dell evade a los minoristas y se dirige a las cuentas corporativas por medio de equipos dedicados y transfuncionales para cuentas grandes y respaldo de bajo costo para cuentas más pequeñas. Dell previó la creciente complejidad y las necesidades específicas en materia de servicio al cliente para ambos tipos de cuenta, así como la ventaja económica de un modelo directo. Sin la presencia de intermediarios, se hace posible comprender las necesidades de un gran número de cuentas individuales y personalizar los productos según sus necesidades, no sólo a menor costo sino más eficazmente también. El resultado es la "personalización masiva" en vez del método tradicional de segmentación amplia del mercado. El respaldo de posventa lo pueden proveer los clientes corporativos mismos, o bien Dell (por ejemplo "cargando" software específico para el cliente), o bien algún tercero (por ejemplo mediante asociaciones con EDS y Wang).

Las eficiencias del modelo de Dell se manifiestan no sólo en la eliminación del valor agregado intermediario. La hechura sobre pedido reduce grandemente los costos de capital de trabajo, y el acceso directo a los clientes facilita mejor diseño del producto, gestión de inventarios y servicio al cliente. Además, Dell se destaca por la excelencia en la ejecución.

El éxito de Dell no es un secreto. La empresa ha crecido a un ritmo superior al 50 por ciento en los últimos años. En contraste, el número uno, Compaq, ha crecido a menos del 20 por ciento. En cuanto a tajada del mercado, Dell le está dando alcance a Compaq en los Estados Unidos (14,1 por ciento contra 15,8 por ciento en el tercer trimestre de 1998) y ocupa el segundo lugar en cuanto a tajada mundial, detrás de Compaq. Dell bien podrá tener las acciones de mejor desempeño en el decenio. La capitalización de mercado está en $99 billones contra $75 billones y $169 billones para Compaq y para IBM, respectivamente.

Compaq, entre otros que venden por canales, se apresura a igualar las ventajas de Dell. Ha instituido programas de fabricación por pedido en un esfuerzo por emular a Dell, pero sigue vendiendo a través de intermediarios. Dada su gran dependencia de los revendedores, le es extraordinariamente difícil a Compaq hacerlos de lado y aventajar así a Dell, al menos por ahora. Con el tiempo, quizá tenga que abandonar la modalidad de revendedores en aras del modelo directo que ha tenido tanto éxito.

Gateway, otro fabricante de PC con modelo de venta directa, se concentra en el mercado de consumidores residenciales, en contraste con la fuerza corporativa e

EMPRESA	Dell Computer Corporation		
DIRECCIÓN	One Dell Way, Round Rock TX 786682-2244 USA Teléfono: 512-338-4400 Fax: 512-728-3653 URL: http://www.dell.com		
NEGOCIO	Computadores, equipos para oficina		
ESTADÍSTICAS	Empleados	1998	16 000
	Ventas anuales (miles)	1998*	$18 243
	Resultados anuales (miles)	1998*	$2 046
	Otros datos	Primer proveedor mundial de computadores por venta directa. Se preveía que el sitio Web de la empresa tramitará la mitad de las transacciones de Dell para el año 2000	

* Año fiscal terminado el 26 de febrero de 1999

institucional de Dell. Gateway, cuya tajada del mercado es como la mitad de la tajada que tiene Dell, está extendiendo sus "Tiendas Rurales" para brindar a los posibles clientes un local físico donde puedan conocer los productos en persona — el equivalente de una sala de exhibición de automóviles y de pruebas de conducción. Una vez que el cliente decide, se le cumple el pedido por un sistema directo; las Tiendas Rurales no mantienen inventario.

La capacidad de satisfacer las necesidades de consumidores finales individuales con un producto altamente personalizado y de manera eficaz en función del costo le ha dado a Dell una verdadera ventaja competitiva.

Canales de Dell

- El conocimiento directo del consumidor final permite formar un cliente satisfecho, lo cual fortalece la marca Dell, reduce los costos de adquisición de clientes y refuerza su lealtad.
- La eliminación del canal minorista permite ahorrar los márgenes del concesionario: los costos de venta se reducen del 12 por ciento a una cifra entre el 4 y el 6 por ciento del ingreso.
- La hechura por pedido con entrega justo a tiempo y facturación directa reduce los costos de capital (no hay productos acabados, la obsolescencia es baja, las cuentas por cobrar son de alta solvencia, las cuentas por cobrar se saldan antes que las cuentas por pagar).
- Incorporando los requisitos del cliente directamente al proceso de producción, se acorta el tiempo hasta la entrega; los sistemas listos para poner en marcha reducen el tiempo de "arranque" para los compradores.
- La infraestructura de bajo costo y el modelo de adquisición agilizada para el cliente facilitan la expansión a otros mercados.
- Una fuerza laboral participativa, facultada y motivada aumenta la satisfacción de los clientes.

Primero, el conocimiento directo de los clientes finales es una herramienta invaluable para desarrollar los productos y servicios apropiados que realmente satisfagan las necesidades de los clientes y se alejen de la modalidad de "forzar el producto". En segundo lugar, el modelo directo del fabricante provee ganancias grandes de eficiencia y eficacia (más que el simple ahorro de costos por concepto de concesionarios). En tercer lugar, una modalidad concentrada en segmentos del mercado resulta valiosa en un mercado que está madurando. Cuarto, una empresa capaz que sea pionera de un mejor modelo de negocios puede cosechar grandes ventajas al ser la primera; y los beneficios pueden ser enormes. Incluso, parece que el máximo líder en cada fase de la industria de PC será un recién llegado. Quinto, las empresas establecidas pueden peligrar si hacen caso omiso de un nuevo modelo de negocios competitivo o si intentan emularlo parcialmente mientras protegen el sistema de negocios actual (como pretenden hacer Compaq y otros con sus minoristas).

Capítulo 10

La ventaja uno a uno

Bueno ¿y qué tiene de diferente la Internet?

La Internet no es el primer canal electrónico que se ha ensayado. Los intentos anteriores por crear canales interactivos fueron costosos fracasos. Walter S. Baer, alto analista de políticas en la división de ciencia y tecnología de RAND, ha trazado la historia del comercio electrónico en los últimos 20 años. Baer señala que las tecnologías para los servicios electrónicos a domicilio han existido desde mucho antes de lo que suele pensarse. La televisión se desarrolló en los años veinte y en la feria mundial de Nueva York en 1939 había videoteléfonos. Pero no fue hasta los años setenta que el crecimiento de la televisión por cable en los Estados Unidos despertó verdadero interés por el concepto de la "nación alambrada".

En los años setenta, comenzaron el videotexto (Viewdata) y el teletexto (Ceefax) en el Reino Unido. En los ochenta el gobierno francés hizo grandes inversiones en el servicio Minitel. Más recientemente, las empresas estadounidenses han dado nuevo impulso a la idea de servicios interactivos a domicilio, entre ellos la Red Completa *(Full Network)*, servicio que podría ofrecer a los hogares vídeo, audio y datos en dos direcciones.

Durante la historia del comercio electrónico poco rentable, los tipos de servicios que se ofrecieron fueron curiosamente similares, según señala Baer. Típicamente, éstos son:

- Información de noticias y deportes
- Información sobre temas especiales (viajes, recetas, etc.)
- Educación interactiva
- Compras a domicilio
- Servicios bancarios y financieros
- Pedido de boletas (entretenimiento y viajes)
- Juegos interactivos
- Vídeo sobre pedido y transmisión pagada (para acontecimientos en vivo)
- Correo electrónico y servicios de conversación

Si la lista parece familiar, es porque en ella figuran las mismas áreas anunciadas como los servicios de Internet del futuro.

Dada la historia, un cínico escucharía algo dudoso los planteamientos sobre cómo los canales electrónicos están revolucionando los negocios. Sin embargo, resulta difícil imaginarse que la Internet no logre romper la serie de fracasos.

La Internet misma existe desde hace más de dos decenios. Existió 20 años para uso oficial y militar, luego para fines de investigación académica. La expansión al mercado comercial no comenzó hasta bien entrados los años noventa, y no fue hasta 1995 que comenzó el auge del uso residencial. Este fenómeno es el que está llamando la atención al mundo de los negocios.

Como bien lo confirma Baer: "Pese a las exageraciones obvias, sí hay varios motivos para decir que los fenómenos actuales en torno a Internet son diferentes:

- Más hogares están comprando computadores personales
- El crecimiento de Internet hasta la fecha ha asombrado prácticamente a todos; el éxito engendra más éxito, como sucede con todos los productos de comunicación
- El uso del correo electrónico está ampliándose

- La Red Mundial de Información (World Wide Web) también se está popularizando y su uso se está facilitando
- La publicidad en la Red está aumentando rápidamente
- El comercio electrónico".

En realidad, la masa crítica podría ser lo que finalmente permite que el comercio electrónico levante vuelo. Tomando los dos primeros puntos de Baer, por ejemplo, se ve cuán rápidamente se acelera la Internet.

Más PC en los hogares: en 1983, sólo el 9 por ciento de los hogares estadounidenses tenían un PC; la cifra se elevó al 18 por ciento en 1989, al 27 por ciento en 1993 y al 42 por ciento en 1997. (En el Reino Unido, según cifras del gobierno, el 29 por ciento de los hogares tenía un PC en 1997.)

Otro hecho significativo es que en 1983 la mayoría de los PC en los hogares se habría utilizado para juegos y otras aplicaciones de bajo nivel, con menos del 0,5 por ciento conectado con redes. Para finales de 1997, por lo menos la mitad de los PC en los hogares estadounidenses estaba dotada de módem y estaba capacitada para redes.

Aunque el uso de Internet es notoriamente difícil de medir, los mejores estimativos indican que hay más de 16 millones de computadores conectados con la Internet en el mundo (probablemente muchos más cuando dicho estimado vaya a la prensa). Y tal cifra no incluye los computadores detrás de los sistemas de seguridad eregidos por la mayoría de las corporaciones, los cuales sumarían muchos más. Son muchos, pues, los puntos de contacto o ventanas en la Red. Los estimados de Nielsen Media Research sugieren que hasta uno de cada cuatro adultos estadounidenses —es decir 50 millones de personas— son usuarios de Internet.

El ritmo de crecimiento en el número de usuarios de Internet, que probablemente sea un indicador más fiel ya que compara cosas iguales, ha sido del 100 por ciento anual durante los últimos cinco años. Esto sugeriría que entre el 18 por ciento y el 20 por ciento de los adultos en los Estados Unidos tienen acceso sostenido a Internet.

El número de personas que emplea la Internet sigue creciendo a un ritmo vertiginoso. Muchos de los que han laborado en este terreno desde hace algún tiempo expresan su asombro ante el grado de aceptación y utilización por parte de los consumidores. Una encuesta estima que el 20 por ciento de las compras de automóviles nuevos se hacen con alguna consulta por la Internet. Pero no obstante los riesgos implícitos en la gran inversión en canales electrónicos, Shikhar Ghosh, presidente de la junta y cofundador de Open Market, una compañía de software para el comercio en Internet, dice que las empresas sencillamente no pueden darse el lujo de desconocer la Red. Por lo menos, dice, los gerentes "tienen que comprender las oportunidades que se les presentan y reconocer cómo sus empresas pueden ser vulnerables si los rivales aprovechan esas oportunidades primero".

Investigaciones realizadas en la London Business School sugieren que, para el año 2007, en Norteamérica y Europa los siguientes porcentajes de ventas totales estarán en línea en una u otra forma:

- El 10 por ciento para minoristas, bancos, agentes de viajes, aerolíneas y firmas de ropa por correo
- El 30 por ciento para música, libros y diarios
- El 15 por ciento para abarrotes
- El 10 por ciento para automóviles y "mercancías blancas"

El comercio electrónico ya está trazando un nuevo mapa corporativo. Ha dado origen a modelos de negocios que sencillamente no podían haber existido incluso hace pocos años.

LOS CANALES ELECTRÓNICOS

Aunque mucho se habla del comercio electrónico, sorprende cuán poco se ha escrito sobre cómo manejar la transición de un negocio tradicional a uno basado en la Internet. Los canales electrónicos no son una bala mágica. Con pocas, aunque honrosas excepciones, la mayoría de las empresas siguen luchando por crear modelos de negocios rentables basados en la Internet. Como suele pasar, la realidad siempre está a la zaga de la hipérbole.

Shikhar Ghosh resume así la situación: "La Internet se está convirtiendo rápidamente en un importante nuevo canal para el comercio en una serie de negocios — mucho más rápidamente de lo que podía predecirse hace dos años. Mas para la mayoría de los ejecutivos, especialmente los de empresas grandes y bien establecidas, no será fácil determinar cómo aprovechar las oportunidades que este nuevo canal está creando".

La Internet es una frontera nueva y fascinante. Abre nuevos horizontes al mundo de los negocios. Pero sería necio suponer que constituye una opción fácil. Lejos de ello. Nuestro trabajo en este ámbito hace pensar que los canales electrónicos son en realidad más difíciles de manejar eficazmente que los tradicionales. El punto es que vale la pena invertir tiempo y dinero en ellos porque encierran la posibilidad de un enorme poder. En la actualidad, sin embargo, muchas empresas están lanzándole dinero a Internet con la ciega esperanza de que transforme su negocio de la noche a la mañana. Por otro lado, muchas están simplemente corriendo, temerosas de que sus competidores descifren el código del canal electrónico antes que ellas.

Campeones de los canales: libros en el ciberespacio

El más conocido de estos nuevos negocios es Amazon.com. Los primeros libros ordenados a través de Amazon fueron despachados en el otoño de 1994 (empacados personalmente por Jeff Bezos y su esposa); en 1997, la compañía vendió su libro número un millón. En este mismo año, sus ventas contabilizaron alrededor de $148 millones, lo cual significó un crecimiento superior en ocho veces de un año a otro.

Todavía es difícil predecir hacia dónde se dirigirá este nuevo canal tan atractivo. Por ejemplo, el modelo original de Amazon.com era el de poner a funcionar por la Red la librería más grande del mundo, con una disponibilidad de 2,5 millones de volúmenes (la mayoría de sus competidores no se acercan ni siquiera a este nivel; ver cuadro 10.1). Pero rápidamente encontró que realmente estaba vendiendo información además de libros. Hoy en día, por ejemplo, Amazon ("la consagración del ciberespacio", de acuerdo con el *Financial Times)* envía a sus clientes un mensaje

EMPRESA	Amazon.com, Inc.		
DIRECCIÓN	1516 Second Avenue, Seattle WA 98101 Teléfono: 206-622-2335 Fax: 206-622–2405 URL:http:// www.amazon.com		
NEGOCIO	Minorista especializado—libros, música, vídeos en línea		
ESTADÍSTICAS	Empleados	1997	614
	Ventas anuales (miles)	1998	$610,0
	Resultados anuales (miles)	1998	($124,5)
	Otros datos	Amazon.com vende 1 500 millones de títulos impresos y un millón de títulos agotados por medio de Internet	

Cuadro 10.1. Las librerías en línea más grandes del mundo

Librería	País	Títulos que se pueden entregar (millones)
Amazon.com	Estados Unidos	2,5
Alt.bookstore	Estados Unidos	2,0
Abiszet Bucherservice	Alemania	1,3
Foyles	Reino Unido	1,0
Barnes & Noble	Estados Unidos	1,0
The Co-op Bookshop	Australia	1,0
Libro Web	España	1,0
Internet Bookshop IBS	Reino Unido	0,92
J.F. Lehmanns	Alemania	0,75
Book Stacks Unlimited	Estados Unidos	0,5

Fuente: Jonathan Bowen, Laboratorio de computación, Oxford University

de correo electrónico cada vez que sale un nuevo libro en la temática en la que éstos han manifestado su interés. Esa información también ayuda a la compañía a entenderlos mejor y orientar con precisión su actividad de marketing.

El sitio también promueve las "charlas" entre sus usuarios como parte de su servicio. Para promover las conversaciones, no sólo fija reseñas de libros tomadas de diarios prestantes, sino que anima a los clientes a enviar sus propias reseñas, que se publican en el sitio de Amazon.

Pese a su acogida entre los consumidores, los periodistas de negocios y los académicos, Amazon.com aún no ha arrojado ganancias. Cuando lo haga, muy posiblemente tendrá que afrontar a sus imitadores que reproducen lo que es un canal de éxito. Otros pioneros que han invertido grandes sumas en servicios de Internet podrán afrontar problemas similares en el futuro.

Ciertos problemas más inmediatos para Amazon.com parecen surgir de su diversificación al negocio minorista de música. Este ya le ha causado problemas. Su modelo de libros al por menor no cuadra del todo: Bezos ha dicho que no entiende la música que es impulsada por los éxitos del momento, adolescentes sin tarjeta de crédito y una serie de promociones locales.

Canales de Amazon.com

- La información es un servicio aunque no sea nuestro negocio.
- Reunir información de los clientes.
- Utilizar la logística para lograr comodidad.

En ciertos sectores el desarrollo de canales electrónicos recuerda la carrera espacial. En los años cincuenta y sesenta, los Estados Unidos y la Unión Soviética inyectaron cantidades de dinero a sus respectivos programas espaciales porque cada uno temía que el otro se le adelantara.

Los canales electrónicos transformarán industrias enteras, pero no será por suerte sino por una eficaz gestión del canal. La aplicación de la informática en los ochenta tiene lecciones para nosotros. Las empresas que mejor aprovecharon la informática entonces fueron las que tenían una idea clara de lo que pretendían lograr con ella.

Éste es un punto expresado en un reciente artículo de *Fast Company*. La pregunta que se hacían las organizaciones bien informadas en los años ochenta era: ¿En qué negocio estamos? A comienzos de los noventa ello cambió a medida que empresas como Dell comenzaron a preguntar: ¿Cuál es el mejor modelo de negocios? Hoy la pregunta vuelve a cambiar. Ahora es: ¿Qué puede hacer el comercio electrónico por el cliente? En realidad, se trata de aplicar la nueva tecnología al aspecto del negocio que corresponda. En una palabra, de nada sirve crear canales electrónicos como un fin en sí. La tecnología digital presenta una eficacia máxima cuando está unida a alguna meta estratégica específica.

Así, por ejemplo, cuando Intel invirtió $300 millones en tecnología CAD/CAM en 1986, lo hizo para alcanzar un objetivo nítido. La CAD/CAM era la respuesta digital a una pregunta puramente competitiva: ¿Qué podía hacer Intel para lograr dos años de ventaja sobre sus competidores? La clave para mejorar su ventaja competitiva era digitalizar más su diseño y producción de microchips.

Análogamente, y por la misma época, Wal-Mart invirtió aproximadamente la misma suma en tecnología digital para respaldar una meta de negocios diferente, la digitalización de su sistema de logística. Instalando comunicaciones avanzadas y sistemas de gestión de inventarios que proveyeran información de ventas y pedidos en tiempo real, la empresa pasó de los átomos a los bits. Como resultado, el minorista logró un desempeño superior al de sus competidores.

Estas dos empresas estaban a la vanguardia de la revolución digital. El impacto de sus decisiones está a la vista de todos. Otras empresas están efectuando inversiones hoy que crearán una ventaja competitiva en el futuro. Lo difícil es determinar dónde la nueva tecnología puede generar la mayor diferencia. A los canales electrónicos se les debe aplicar el mismo rigor.

Las empresas pueden aprovechar los canales electrónicos en tres niveles.

- Como plataformas de información
- Como plataformas de transacciones
- Como plataformas para forjar y mantener la relación con el cliente

El impacto sobre el negocio aumenta al ir ascendiendo por los niveles. Actualmente, la mayor parte de las empresas utilizan los canales electrónicos como plataformas de información, aunque están experimentando cada vez más con maneras novedosas de utilizarlos como plataformas para transacciones y como medio para forjar relaciones más complejas con sus clientes.

La progresión de plataforma de información a plataforma de relación es lógica. Existe la tentación de saltar al tercer nivel pasando por encima de los dos primeros, pero en la mayoría de los casos ello no dará buenos resultados.

Quizá ello resulte posible con el tiempo, cuando los clientes se sientan más cómodos con el comercio electrónico, pero por ahora es más sensato desarrollar los canales electrónicos nivel por nivel. Los canales electrónicos más eficaces son los que han evolucionado de plataformas de bajo valor a plataformas de valor alto.

El punto es que los clientes exigen una plataforma de información de calidad antes de mostrarse dispuestos a entrar en transacciones electrónicas. Si visitamos un sitio en la Red que cumpla mal las tareas básicas de proveer información, no vamos a sentir confianza en su capacidad para cumplir transacciones. El cliente tiene que sentirse satisfecho en ambos niveles para sentirse dispuesto a entablar un diálogo significativo o una relación electrónica. Se cumple bien en el primer nivel, y luego puede procederse a los otros dos. Esto no significa que sea imposible desarrollar los tres niveles simultáneamente. Simplemente sugiere que una evolución eficaz va edificando sobre las competencias ya adquiridas.

La evolución de la tecnología — en esencia, el ancho de banda — también favorece este enfoque. A medida que la Internet adquiere más velocidad y más capacidad de entregar imágenes de alta calidad así como servicio más personalizado, las oportunidades de negocios van aumentando también.

Las empresas que intenten pasar directamente al tercer nivel, que es de alto impacto, corren el riesgo de verse defraudadas por la tecnología. Hay indicios de que una vez que los clientes han tenido una mala experiencia con un canal, se sienten menos dispuestos a ensayarlo por segunda vez. Los clientes no saben, ni les interesa saber, cuál fue el error. Sólo saben que obtuvieron una mala respuesta de la empresa y por tanto consideran que la empresa es un mal riesgo. Un cliente que visita un sitio en la Red y toma el tiempo de llenar un cuestionario de comercialización queda muy impresionado si su información se refleja en el material de comercialización que la empresa despacha — y lo contrario le parecerá absurdo. A los clientes no les interesan los fallos tecnológicos. Les interesan únicamente los resultados.

Nivel 1: Plataforma de información

Los canales electrónicos ya se emplean ampliamente como plataformas de información. Las mejoras tecnológicas significan que su funcionalidad mejora rápidamente. Hoy se emplean tales canales para proveer a los clientes información instantánea sobre especificaciones y características de los productos. También le dan al comprador la posibilidad de individualizar las características y opciones — incluso los colores — a fin de tomar una decisión de compra personalizada. Por ejemplo, tanto Dell como Gateway tienen sitios en la Red donde el cliente puede hacer un PC de acuerdo con sus especificaciones personales, escogiendo de una lista de componentes en existencia. El sitio ajusta el precio automáticamente. En el futuro, esta modalidad será aun más poderosa gracias a las interfaces "inteligentes", capaces de reconfigurar conforme a los requisitos de cada cliente, y a las velocidades acrecentadas de Internet.

Nivel 2: Plataforma para transacciones

En el segundo nivel, los canales electrónicos brindan información adicional y un mecanismo para efectuar transacciones. Tales sistemas ya se emplean para dar cotizaciones, hacer pedidos, averiguar la disponibilidad y acceder a servicios adicionales como financiación o seguros. Un creciente número de empresas, especialmente en el sector de informática, ya están vendiendo con éxito a otras empresas mediante canales electrónicos, valiéndose de la Red. Cisco Systems vende más de $2 billones al año a través de la Red.

El escollo aquí sigue siendo la seguridad del pago. Sin embargo, esto probablemente no implique un problema grave para el futuro desarrollo de los canales electrónicos. Unos clientes se sentirán más cómodos con un canal de pago paralelo, prefiriendo colocar sus pedidos por vía electrónica pero pagar por medios más tradicionales. Pero las tarjetas de crédito y otros métodos de pago instantáneo significan cada vez más que el canal electrónico puede brindar un sistema completo para las transacciones. Amazon.com es uno que ha demostrado la viabilidad de este método.

Nivel 3: Plataforma para manejar las relaciones con el cliente

Este nivel incorpora los dos primeros. Es aquí donde los canales electrónicos pueden ejercer su mayor impacto. Al entablar un diálogo sostenido con los clientes, ofrecen teóricamente una manera de vender a segmentos de a uno. Ahora bien, hasta la fecha tal práctica está muy a la zaga de la teoría. Unas empresas están experimentando en este nivel con entretenimiento interactivo, ofertas especiales dirigidas a segmentos de clientes, e incluso nexos con otros productos. Así, por ejemplo, las revistas y los proveedores de servicios de Internet emplean la tecnología "de empuje" de la información para ofrecer actualizaciones periódicas e información avanzada a través del correo electrónico. Tal práctica se extenderá con el tiempo.

El atributo clave del canal electrónico es su capacidad para "empujar" información además de "halarla". Si se "empuja" demasiada información, el cliente se irrita y se desconecta. Actualmente, gran parte de lo que se dice acerca del comercio electrónico se refiere a suministrar información a los clientes. Bien administrado, el canal electrónico no es sólo un recurso para las comunicación con los clientes sino que puede aportar a cada elemento de la cadena de valor. Por ejemplo, en el caso de un fabricante de automóviles, los canales electrónicos pueden tener una gran influencia sobre la innovación, la demanda y la entrega. Pero la clave de la eficacia está en la administración del flujo de información.

En el ámbito de innovación y desarrollo, la empresa puede utilizar los canales electrónicos para mejorar y acelerar el proceso de desarrollo, transmitiendo datos importantes del departamento de comercialización, por ejemplo, al de investigación y desarrollo. Luego se pueden emplear esos mismos datos para respaldar y mejorar la gestión del proyecto, asegurando un mejor tiempo hasta sacar el producto al mercado. Algo crucial es que los canales electrónicos también pueden facilitar el traslado de conocimientos entre diferentes partes de la organización. Si por ejemplo un equipo de desarrollo logra un avance tecnológico capaz de acelerar el desarrollo en otros equipos, o susceptible de incorporarse en la comercialización de otros productos, entonces los otros equipos pueden aprovechar este nuevo avance rápidamente.

En una etapa posterior, se pueden emplear canales electrónicos para estimular la demanda, "empujando" información y ofertas hacia clientes selectos. Ello genera una mejor segmentación de los clientes, más promociones dirigidas y atención más personalizada al cliente. Por ejemplo, si cierto grupo de clientes ha expresado su interés por un posible servicio u opción nueva mientras que otro grupo no expresa ningún interés, se puede utilizar tal información para dirigirse a los que sí desean el servicio sin molestar a los que no. También puede ofrecerse a clientes diferentes a un nivel de precios que corresponda al valor que realmente le atribuyen. Quizá la nueva oferta sea un servicio de estacionamiento asistido por meses. Pueden precisarse tanto la logística para brindar tal servicio como el nivel del mismo.

Por último, el canal electrónico trae otros beneficios importantes cuando se emplea como mecanismo de entrega. Puede crear un paquete de servicio personalizado para clientes individuales. También puede mejorar el desempeño de la empresa en los aspectos de adquisiciones, logística, fabricación y distribución.

LA LEALTAD UNO A UNO

Como bien lo ilustra el auge de la guerra ciberespacial, los segmentos están haciéndose aun más fragmentarios, más pequeños.

Quien visite la tienda insignia de Levi's en Regent Street, de Londres, puede subir las gradas y pedir unos jeans a la medida. Los detalles pasan a un computador y de allí van a Bélgica, donde se fabrican los jeans. Llegan tres semanas más tarde, con un código de barras personalizado que facilitará los siguientes pedidos. El máximo producto de mercado masivo ya se consigue en forma personalizada. Ésta es la personalización masiva en su forma más pura.

La personalización masiva suele verse como la diferenciación de artículo por artículo. Es la campaña "Como a usted guste" de Burger King. Ofrece una variedad notoriamente mayor a un costo igual o inferior y se desarrolla como respuesta a la creciente fragmentación de las preferencias de los consumidores. La mayoría de los ejemplos se concentran en el hábil uso de la fabricación para la personalización masiva de los productos — como los jeans hechos a la medida por Levi's y los buscapersonas de Motorola — o en el hábil uso de bases de datos para la personalización masiva de los servicios. Por lo general, se entiende como un concepto referente a productos.

Como hemos señalado, la diferenciación basada en productos está perdiendo importancia y valor. Así pues, el peligro de personalizar productos en masa es que ello no necesariamente agrega valor al canal. McDonald's, por ejemplo, pregona su sistema de preparación "Hecho para usted". Anunciando su lanzamiento, el entonces presidente de la junta y director ejecutivo, Michael Quinlan, dijo: "El beneficio más importante para los clientes será una comida más fresca, más caliente, servida pronto. Los gerentes y el personal de los restaurantes se beneficiarán de un sistema fácil de usar que elimina las tensiones y las conjeturas en la tarea de brindar comida de excelente sabor". Tal parece que el servicio de valor agregado es darles a los clientes lo que ya debían estar recibiendo — y facilitarle la vida al personal de McDonald's.

Pero ¿y si uno mira la personalización como un concepto basado en el canal? ¿Por qué no personalizar los servicios agregados además — o en vez — del producto? En efecto, la personalización masiva resulta más fácil, y más barata, en el negocio de servicios. Personalizar los servicios agregados puede resultar más valioso que personalizar el producto mismo. El reto es mantener los productos intactos mientras se modifican los servicios afines. Ésta es la manera inteligente de personalizar.

Ciertas organizaciones como Disney y Marriott han hecho del servicio un producto básico reproducible pero flexible que puede administrarse por variedad de canales. Un ejemplo es el Ritz Carlton, que se ha convertido en el Lexus de los hoteles. Ha logrado reunir toda la eficiencia operativa del imperio hotelero de Marriott y entregarla eficazmente al segmento más alto del mercado.

La verdadera mejora en la atención al cliente exige conocer las necesidades basadas en servicios e impulsadas por el canal. Este conocimiento generalmente tiene que adquirirse a partir de cero. Se necesitan por lo general datos y hechos para complementar o bien contrarrestar las ideas intuitivas o parcializadas actuales; y resulta crucial comprender la dinámica económica del cliente. Ello también es esencial para poder evaluar objetivamente los costos inevitables contra los beneficios. La información sobre requisitos en materia de servicio al cliente tiene que revelar claramente las variaciones específicas entre agrupaciones no homogéneas. El objeto de la segmentación en este contexto es identificar conjuntos de clientes cuyos impulsores clave de valor difieran, a fin de diseñar las soluciones en consecuencia.

Piénsese en el programa individualizado de atención al cliente empleado por la unidad de productos de distribución eléctrica de GE. Una parte de este negocio fabrica cortacircuitos y tableros para edificios comerciales e industriales nuevos o renovados. Los contratistas les compran los productos a distribuidores eléctricos. También reciben variedad de servicios directamente del fabricante, servicios que dependen del tamaño y tipo de obra, ya que frecuentemente los productos traen especificaciones, precios y hechura especial para determinada obra.

La economía del negocio de contratación es tal, que toda demora en la llegada de materiales al lugar de la obra resulta sumamente costosa. Los costos de mano de obra y equipos, posibles sanciones por incumplimiento del plazo y subsiguientes demoras para otros contratistas afectan la ecuación económica. Por tanto, la necesidad primordial de todo contratista es la entrega a tiempo.

Ahora bien, la necesidad secundaria varía según el tipo de contratista o el tipo de obra. Para muchos proyectos pequeños, la "respuesta con la cotización" es casi tan importante como la entrega a tiempo. Al contrario de las obras grandes que implican un largo y complejo proceso de licitación y cotización, las obras pequeñas suelen ser de mecha más corta y pueden ganarse o perderse según la capacidad del contratista para presentar una oferta rápidamente.

GE reconoció esta distinción y formuló para obras pequeñas un sistema fácil de cotización con PC que el distribuidor puede emplear sin la intervención del fabricante, como sucede en obras más grandes. Como resultado, se ha reconocido que el tiempo de cotización de GE es más rápido que el de sus tres competidores principales, y tal distinción le ha valido una proporción bastante mayor de esta parte del mercado, ser muy solicitada y tener márgenes de utilidad mayores.

LOS CANALES UNO A UNO

El uso inteligente de canales puede cumplir un papel importante en la personalización masiva de los productos y los paquetes de servicios que los rodean.

Tomemos el ejemplo de Viking Direct, empresa de suministros para oficina. Viking vende papelería y otros enseres de oficina. En gran medida, sus productos son básicos: desde el punto de vista del usuario, una marca de grapas, papel para fax o discos de computador es igual a otra. No obstante, en el espacio de sólo 14 años Viking ha acrecentado sus ingresos de $15 millones a $1,3 billones. ¿En qué se diferencia, pues, Viking de la competencia?

La empresa reconoce que además de sus precios acertados, el canal de entrega que maneja con el consumidor es importantísimo. Lo que realmente importa es que los enseres de oficina estén allí cuando se necesitan. Viking, pues, garantiza el 99 por ciento de las entregas el mismo día, siempre y cuando que se hagan los pedidos lo bastante temprano.

Ahora bien, la empresa ha dado un paso adicional en el camino de la gestión de canales. Reuniendo información sobre pedidos y consultas, puede crear una reseña individualizada de cada cliente. Con esta información genera un catálogo personalizado para un segmento de a uno.

El catálogo incluso trae el nombre del cliente en la tapa. Incluye sólo aquellos enseres de oficina que al cliente le interesa comprar. El resultado, dice Viking, es un índice de respuestas cercano al 100 por ciento. En otras palabras, prácticamente todos los catálogos que se envían generan un pedido. En este caso, lo personalizado no es el producto sino el menú de opciones.

De hecho, lo que la empresa está haciendo es brindar un canal personalizado para cada cliente reseñado. Sin embargo, los productos que vende tienen poco que los distinga. Otras empresas podrían hacer lo mismo. Piense en una empresa de automóviles que comprende las características y los elementos de servicio que usted, como cliente, desea y que ofrece fabricar un automóvil perfecto para usted. O un restaurante que le ofrezca una carta de sus platos preferidos.

Piense en el ahorro implícito en una oferta tan dirigida. Y todo ello porque la empresa reconoce el poder de la gestión de canales. Lo mejor de todo es que los productos en sí permanecen inalterados — despersonalizados. No importa que el cliente A compre la caja de grapas con su catálogo personalizado o que la cliente Z la compre con el suyo. Lo que va individualizado no es el inventario sino el catálogo, es decir, un servicio.

Las empresas que venden computadores directamente, como Dell y Gateway, ofrecen otro ejemplo de la personalización masiva mediante la gestión de canales. Ambas empresas proveen sitios web interactivos. Las ofertas especiales de sistemas aglomerados se anuncian en la prensa nacional. Citan un precio para cierta especificación, pero también invitan a los clientes a citar sus propias especificaciones valiéndose del sitio web.

Los clientes que visitan los sitios web de Dell o Gateway pueden distraerse horas enteras actualizando cada componente del sistema sin quitarle tiempo a un asistente de ventas. En cada caso, al indicar las opciones, el comprador puede ver instantáneamente la diferencia de precios ocasionada por una pequeña alteración de las especificaciones. Por fin, cuando esté listo para comprar, el cliente puede efectuar su pedido en línea con tarjeta de crédito, o por teléfono.

El inventario de estas empresas se limita a los componentes. Los sistemas completos se arman sólo cuando se haya recibido el pedido, evitándose así completamente la necesidad de rehacer el trabajo. Para animar a los clientes a usar el canal de Internet, Gateway también ofrece beneficios adicionales a quienes pidan por medio del "constructor de sistemas" en su sitio web. Si acceden a este servicio pueden recibir mejoras gratuitas y otras ofertas especiales que no se dan a quienes compren por otros canales.

De hecho, Gateway ha creado una serie de canales diferentes para sus clientes, reconociendo que sus patrones de compra y sus preferencias varían. Hoy, la empresa maneja un canal de información y ventas telefónicas así como un canal de información y ventas por su sitio web. También tiene salas de exhibición donde los clientes pueden entrar y tocar el producto y hablar con empleados de Gateway (aunque las compras tienen que efectuarse por alguno de los otros canales). Además, la empresa se comunica con sus clientes mediante una publicidad amplia en revistas de computación especializadas y en la prensa nacional.

Lo que tienen en común todos estos canales es que encierran una relación directa con la empresa, sin intermediarios. La tecnología les permite evadir a los terceros en la cadena de valor. Por ejemplo, un editor de libros podría valerse de la Red para pasar de lado a los libreros minoristas y vender directamente a los consumidores. Y la ventaja obra en ambas direcciones: al pedir partes directamente por Internet, GE calcula que ahorrará entre $500 millones y $700 millones de sus costos de compra en tres años y que reducirá los plazos de compra hasta en un 50 por ciento. En el lapso de cinco años, GE prevé que estará comprando casi todo por medio de su sistema de licitación basado en la Red. GE comenzó su Trading Process Network como un medio de intercambio electrónico de datos, y luego lo pasó a Internet. Las compras de GE mediante tal sistema suman ahora bastante más de $1 billón al año. Los costos de transacción son más bajos, el abanico de posibles proveedores es más amplio (lo cual reduce los precios), y las respuestas a la licitación son más rápidas. Ha sido tal el éxito del sistema, que la empresa lo ha puesto a disposición de otros, cobrando por ello.

Gateway no fabrica todos sus propios componentes, sino que les compra a otros importantes proveedores como Toshiba e Intel, pero ha mantenido el control sobre la calidad de sus productos y sobre la relación con sus clientes. Las relaciones son el todo. Son el producto final de una eficaz gestión de canales.

AL FINAL ESTÁ EL PRINCIPIO

El proceso de gestión de canales que hemos esbozado en este libro es algo que nunca termina. Lo que se aprende genera un nuevo conocimiento de los clientes, nuevos segmentos y la evolución interminable de nuevos canales.

Nuevamente, quien busca una inspiración sólo tiene que mirar a Dell. Mientras escribimos, ella está avanzando en su comprensión de los canales. Ha anunciado una tienda en línea que venderá 30 000 productos de computador además de sus PC. Un estimativo era que esta novedad podría aumentar las visitas al sitio web de esa empresa en un 20 por ciento durante los primeros seis meses de operación. Las ventas diarias de Dell por la Internet se calculan ahora en $14 millones. Razón para descansar sobre sus laureles, dirían algunos. No así Dell, que ve cernerse en el horizonte la posibilidad de que la competencia se lleve sus clientes. "Tal vez decidan comprar su próximo PC donde algunotro.com", dijo Michael Dell. La administración proactiva de los canales y el desarrollo de canales nuevos es la manera de conservar la delantera.